무림오적

武林五賊

무림오적 40

초판 1쇄 발행 2022년 3월 28일

지은이 ㅣ 백야
발행인 ㅣ 신현호
편집장 ㅣ 이호준
편집부 ㅣ 송영규 최종건 정재웅 양동훈 곽원호 조정범 강준석 최성화
편집디자인 ㅣ 한방울
영업 ㅣ 김민원

펴낸곳 ㅣ ㈜디앤씨미디어
등록 ㅣ 2002년 4월 25일 제20-260호
주소 ㅣ 서울시 구로구 디지털로 26길 111 JnK디지털타워 503호
전화 ㅣ 02-333-2513(대표)
팩시밀리 ㅣ 02-333-2514
E-mail ㅣ papy_dnc@dncmedia.co.kr
블로그 ㅣ blog.naver.com/gnpdl7

ISBN 978-89-267-1895-7 04810
ISBN 978-89-267-3458-2 (SET)

백야 신무협 장편소설

PAPYRUS ORIENTAL FANTASY

40

무림오적

武林五賊

PAPYRUS
파피루스

1장.
재회(再會)

언제나처럼 크고 맑은 눈동자였다.
물기가 살짝 어려 있는 것 같기도 했고 화가 나서 살짝 치켜뜬 것 같기도 했다.
무심한 것 같기도 했으며 냉정한 것처럼 보이기도 했다.

1. 포위망

쾅!

벼락 치는 소리가 내당 쪽에서 들려왔다.

약재와 의료 기구들을 보자기에 싸던 의생들이 깜짝 놀라며 손을 멈췄다.

"계속들 하시오."

장예추가 재촉하듯 말하자 의생들은 서로의 눈치를 살피며 다시 손을 움직이기 시작했다.

만해거사가 장예추에게로 다가와 낮은 목소리로 소곤거렸다.

"추격대가 온 거냐?"

"네."

장예추는 들것에 실린 화군악이 떨어지지 않도록 붕대로 동여매면서 대답했다. 만해거사의 표정이 심각해졌다.

"소리가 평범하지 않다. 아무래도 강 장주들과 싸움이 붙었나 보구나."

"그런 것 같습니다."

"그럼 예서 이럴 때가 아니지."

"알아서 잘할 겁니다. 다름 아닌 담 형님과 강 형님이 아닙니까?"

"벽린은?"

"아……."

"게다가 추격대의 수가 적지 않더라. 다들 절정에 이른 고수들인 것 같고. 그러니 여기는 우리에게 맡기고 자네는 강 장주를 도와주러 가도록 해라."

"하지만……."

장예추가 망설이자 유 노대가 끼어들었다.

"그렇게 하세. 여기에 굳이 이렇게 많은 인원이 있을 필요가 없지. 여기는 만해에게 맡기고 우리는 가서 강 장주를 도와주자고."

백귀도에서 초유동을 만난 이후 지금껏 단 한 번도 그의 곁에서 떨어지지 않고 간호하던 유 노대가 그렇게 말하자 장예추도 어쩔 도리가 없다는 듯이 자리에서 일어났다.

"그래요. 만해 사부께서 잘 지켜봐 주실 거예요."

나찰염요도 손을 털고 일어나며 말했다. 그렇게 말하면서도 연신 밖을 내다보는 것이, 그녀의 마음은 이미 내당에 가 있는 듯 보였다.

장예추는 속으로 한숨을 쉬고는 입을 열었다.

"알겠습니다. 그럼 잘 부탁합니다, 만해 사부."

"걱정하지 말게, 여기는."

만해거사가 얼른 가라는 듯이 손을 저었다. 장예추는 아직도 눈을 뜨지 못하고 있는 화군악을 내려다보고는 약당 밖으로 걸어 나갔다. 유 노대가 뒤를 따르고 나찰염요도 서둘러 밖으로 나갔다.

그 뒤를 이어서 담호가 약당 밖으로 나서려 하는 걸 만해거사가 얼른 붙잡았다. 담호가 그를 돌아보며 진지한 얼굴로 말했다.

"저도 가겠어요."

"아니다."

만해거사가 고개를 저으며 말했다.

"너는 여기 남아서 이 할아비를 도와주렴. 늙으니까 기력이 달리는지 아무래도 도와줄 손이 필요하구나."

"하지만 방금 혼자서 다 알아서 하실 수 있으시다고 하셨잖아요?"

"허험. 그야 그건……."

만해거사는 힐끗 옆을 돌아보고는 담호를 끌어당기고
는 그 귀에 대고 속삭였다.

"게다가 너는 저 아이를 지켜 줘야 할 의무가 있지 않
느냐?"

그 말에 담호는 만해거사의 어깨 너머로 초목아를 바라
보았다. 초목아는 들것에 실린 초유동 곁에 쪼그리고 앉
아 있었다.

"밖은 어른들에게 맡기려무나. 그리고 너는 나를 도와
주는 한편 저 아이를 지키고. 그렇게 하자꾸나. 알았지?"

담호는 나지막한 소리로 대답했다.

"네. 그렇게 할게요."

약당을 벗어난 세 사람은 순식간에 세 개의 담과 정원
을 뛰어넘었다. 단숨에 내당 연못이 보이는 담장까지 날
아간 그들은 월동문 아래 몸을 숨긴 채 상황을 살펴보았
다.

곧바로 현장으로 날아가는 것보다는 추이를 지켜보면
서 가장 좋은 계획을 세우고 움직이는 게 훨씬 현명한 일
이었다.

연못 주위로 수십 명의 무인들이 빙 둘러 에워싼 채 연
못 중앙의 정자에서는 한창 싸움이 벌어지고 있었다.

싸움이 시작된 지 얼마 되지 않은 듯, 양쪽 모두 전력

을 기울이는 것 같지는 않았다. 심지어 금적산 홍진보는 구석진 자리에서 시녀들에 둘러싸인 채 싱글벙글 웃으며 구경하는 중이었다.

상황을 살피던 장예추의 시선이 문득 수상길 입구 쪽에 서 있는 한 명의 여인에게로 향했다. 그 가녀리고 우아한 뒤태만 보더라도 그녀가 누구인지 충분히 알 수 있었다.

'소유……'

장예추가 저도 모르게 입술을 깨물 때였다.

강만리가 갑자기 한 노인을 향해 크게 주먹을 휘둘렀다. 무지막지한 강기(罡氣)가 그의 주먹에서 분수처럼 뿜어져 나왔다.

세찬 바람이 노인을 향해 회오리처럼 휘감아 가는데, 노인은 전혀 당황하지 않고 두 손을 묘하게 교차하면서 강만리의 강기를 비스듬히 밀어냈다.

일순 강만리의 강기가 노인을 비껴 나가더니 그대로 정자 기둥에 부딪혔다.

쾅!

굉음과 함께 정자의 기둥이 박살 나고 지붕이 무너져 내려앉았다.

순간, 싸움을 지켜보던 노인들이 무너져 내리던 지붕을 향해 동시에 쌍장을 휘둘렀다.

콰콰쾅!

벼락 치는 소리와 함께 산산조각이 난 지붕의 잔해들이 사방으로 높이 솟구쳤다가 그대로 연못으로 풍덩 빠졌다.

그 와중에도 싸움은 치열하게 계속되었다. 멸절사태와 담우천이, 강만리와 능운추풍이 서로의 절기를 번갈아 퍼부으며 서로 상대를 공격했다.

반면 고목대사를 상대하는 설벽린은 좌우로 보법을 밟고 경공술을 발휘해서 연신 고목대사의 장력을 피하기에 급급했다.

"생긴 건 기생오라비인 것이 영락없는 미꾸라지였구나!"

고목대사가 소리치며 다시 두 손을 앞으로 끌어오는 시늉을 했다. 동시에 그의 장력이 허공을 선회하며 설벽린의 등을 노리고 파고들었다.

설벽린은 황급히 다리를 일자로 찢어서 제자리에 주저앉았다. 두 개의 장력이 아슬아슬하게 그의 머리 위를 스쳐 지나갔다.

"좋아, 어디까지 피할 수 있나 보자꾸나!"

고목대사는 다시 소리치며 쌍장을 마구 휘둘렀다. 일순 두 개의 장력이 한 데 뒤섞이며 소용돌이와 같은 기류(氣流)를 만들어 냈다.

"고목와선탄(古木渦旋灘)!"

두 개의 장력이 하나로 회오리치며 만들어진 소용돌이
가 주변 모든 것들을 끌어당기기 시작했다. 부서진 지붕
의 파편이나 기둥 조각들이 그 소용돌이와 함께 허공에
서 휘돌기 시작했다.

소용돌이는 점점 커졌고 천천히 설벽린을 향해 움직였
다. 느릿하게 다가오는 소용돌이의 기류를 본 순간 설벽
린의 표정이 구겨졌다.

'피할 수가 없다.'

그랬다. 피할 수가 없었다. 피할 곳이 없었다.

빠르게 짓쳐들어오는 거라면 보법이든 신법이든 낙법
이든 뭐든 발휘해서 피하면 된다.

하지만 저렇게 느릿느릿하게 다가오면 어디로 가야 할
지 감을 잡을 수가 없었다. 오른쪽으로 도망쳐도 소용돌
이의 사정권 내였고, 왼쪽으로 도망쳐도 마찬가지였다.
소용돌이는 느릿하게 움직이는 대신 언제든지 방향을 틀
수 있었으니까.

그렇게 망설이다 보면 어느새 소용돌이는 시야를 가득
메울 정도로 가까이 다가오게 되고, 결국 그 누구든 와선
탄에 잡아먹히는 게 지금까지의 결과였다.

고목대사는 자신만만했다. 이번에도 다르지 않을 거라
고 확신했다.

저 와선탄에 잡아먹혀서 뼈가 조각나고 살이 갈기갈기

찢겨 나가 형체조차 알 수 없게 된 고수들처럼, 저 발만 날랜 기생오라비 또한 처참한 형태로 변할 것이다.

'어떻게 한다?'

설벽린의 쉴 새 없이 이리저리 굴렀다.

소용돌이의 기류에 밀려나 어느새 구석진 자리까지 몰리게 된 그는 좌우로 몸을 슬쩍슬쩍 움직이며 빈틈을 노렸다.

그러나 고목대사는 양손을 휘저어 고목와선탄의 방향을 조종하면서 설벽린이 빠져나갈 구멍을 차단했다. 설벽린의 이마에 식은땀이 송골송골 맺혔다.

결국 설벽린은 정면으로 부딪치겠다고 결심하고 모든 내공을 끌어올려 두 손에 실었다. 동시에 그는 바로 코앞까지 다가온 소용돌이를 향해 쌍장을 휘둘렀다. 격한 파공성과 함께 강맹한 장력이 뿜어져 나갔다.

"흥."

고목대사가 코웃음을 쳤다.

"보법은 그나마 봐줄 만했는데 무공은 영 아니로구나."

그는 중얼거리면서 더욱더 내력을 가중했다. 고목와선탄이 휘도는 속도가 몇 배는 빨라졌고, 소용돌이에 부딪친 설벽린의 장력은 허무할 정도로 어이없이 튕겨져 나갔다.

'이런 제기랄!'

설벽린의 얼굴이 새파랗게 질릴 때였다.

어두운 밤 허공을 격하고 한 줄기 새하얀 섬광이 연못 밖에서 화살처럼 날아들었다.

스팟!

그 날카로운 파공성과 감당할 수 없는 살기에 놀란 고목대사가 황급히 보법을 밟으며 자리를 이동했다.

새하얀 섬광은 고목대사를 지나쳐 단번에 소용돌이의 복판을 파고들었다.

콰앙!

천지가 진동하는 폭음과 함께 소용돌이에 휘말려 한껏 압축되어 있던 주변 공기가 한꺼번에 폭발했다.

그 폭발이 일으킨 풍압이 얼마나 거센지 근처에 있던 이들의 머리는 산발이 되고, 옷은 갈기갈기 찢어졌다. 심지어 몇몇 노기인들은 도저히 그 거대한 풍압을 견디지 못하고 주춤거리며 뒤로 물러나야만 했다.

설벽린도 하마터면 정자 밖으로 떨어질 뻔했다. 그는 아슬아슬하게 정자 끝자락에서 균형을 잡은 다음 황급히 보법을 밟으며 구석진 자리를 벗어났다.

"누구냐!"

고목대사가 소리를 내지르며 뒤를 돌아보았다. 어둠에 잠겨 있는 월동문 쪽에서 세 개의 신형이 빠른 속도로 달려왔다. 이십여 장의 거리가 순식간에 좁혀질 정도로 무시무시한 속도였다.

연못 주변을 포위하고 있던 추격대 고수들은 그 느닷없는, 상정 외의 상황에 당황할 법했지만 침착하게 몸을 돌려 그들을 막았다.

그들의 검은 공간을 갈랐고, 그들의 칼은 바람을 일으키며 선두에서 달려오는 자를 향해 날아들었다.

선두를 달리는 자가 칼을 빼 들었다. 기묘하게도 그자는 칼을 검처럼 사용하여 추격대 고수들이 펼치는 검법과 도식(刀式)의 빈 공간을 파고 찔러 갔다.

"윽!"

"헉!"

순식간에 두 가닥 신음이 흘러나왔다. 믿기지 않게도 절정에 달한 무위를 지닌 태극천맹 고수들이 그 칼질 한 번에 목숨을 잃고 쓰러졌다. 연못을 에워싸고 있던 포위망 한 곳이 붕괴하는 순간이었다.

"이리로!"

선두에 선 자, 장예추가 크게 외치는 동시에 몸을 돌렸다. 좌우에서 추격대 고수들이 그를 덮쳐 왔다.

"어딜!"

창노한 목소리와 함께 유 노대가 허공 높이 솟구친 채 추격대 고수들에게 쌍장을 휘둘렀다. 동시에 나찰염요의 채찍이 살벌한 소음을 일으키며 허공을 갈랐다.

장예추를 덮쳐들던 고수들은 상황이 쉽지 않다는 걸 직감하고는 어쩔 도리 없이 그들의 공격권 밖으로 물러났다. 한 번 들어갔다가 나오는 추격대 고수들의 움직임은 전광석화 같았으며 군더더기 하나 없이 깨끗한 동작이었다.

그렇게 해서 장예추와 유 노대, 나찰염요는 품자 대형으로 버티고 선 채 강만리 일행이 정자에서 연못 밖으로 빠져나올 만한 공간을 확보할 수 있었다.

2. 생각보다 좋지 않아

"이리로!"

장예추가 크게 외치는 순간, 설벽린은 기다렸다는 듯이 지면을 박차고 연못으로 뛰어들었다.

연못에는 조금 전 산산조각이 났던 정자 지붕의 잔해들이 곳곳에 떠 있었는데, 설벽린은 그 잔해들을 밟고 순식간에 연못을 건너 장예추들이 확보한 공간에 안착했다.

"때맞춰 잘 왔다."

설벽린은 안도의 한숨을 내쉬며 장예추의 등을 향해 입을 열었다.

"저 늙은 중놈이 나만 붙잡고 늘어지는 바람에 하마터면 죽을 뻔했거든."

설벽린은 너스레를 떨었지만 장예추의 귀에는 그의 말이 전혀 들리지 않았다.

지금 그는 자신의 시선을 가득 메우고 있는 여인, 천소유에게로 모든 신경과 정신이 집중되어 있었다.

장예추는 물끄러미 천소유를 바라보았다.

언제나처럼 크고 맑은 눈동자였다. 물기가 살짝 어려 있는 것 같기도 했고, 화가 나서 살짝 치켜뜬 것 같기도 했다. 무심한 것 같기도 했으며, 냉정한 것처럼 보이기도 했다.

'소유……'

한때는 그 이름을 떠올리는 것만으로도 가슴 벅차고 행복했던 시절이 있었다. 잠의 고갯마루를 애써 오를 때나, 가만히 눈을 감고 있자면 언제나 머릿속에 그려지는 얼굴이기도 했다.

그랬다.

그녀는 장예추의 첫사랑이었다.

그녀로 인해서 가슴을 앓았고, 그녀로 인해서 슬픔을 배웠으며, 또 그녀로 인해서 행복도 알게 되었다.

그녀를 헤어지고 얻은 상실감은 부모가 살해당했을 때 느꼈던 감정 못지않았고, 술에 빠져 몇 날 며칠을 취한 채로 보낸 적도 있었다.

물론 장예추는 당혜혜를 사랑했다. 그녀와의 혼인이 사

랑보다는 서로의 필요에 의한 계약과도 같은 것이었다지만, 지금은 그 누구보다도 당혜혜를 사랑했다.

하지만 원래 사내에게 있어서 첫사랑이란 잊히지 않는 존재였다. 당혜혜와 사랑을 나눈 후에도, 함께 즐거운 이야기를 나눌 때도, 화평장 뜰 내를 산책할 때도 문득 저도 모르게 떠오르는 얼굴이 바로 첫사랑의 얼굴이었다.

그녀는 잘 지내고 있을까.

나와 헤어진 건 후회하지는 않을까.

그때 헤어지지 않고 계속 사귀었다면, 지금쯤 우리는 어떻게 살아가고 있을까. 당혜혜와의 생활과는 전혀 다를까. 아니면 비슷할까.

그건 아쉬움도 안타까움도, 질투나 집착이나 후회의 감정도 아니었다. 그저 아지랑이처럼 모호하고 안개처럼 불투명한 추억의 감정일 뿐이었다.

세월은 좋지 않은 기억을 퇴색시키고, 좋은 기억을 미화하는 나쁜 버릇이 있다.

당시 사랑을 하면서 느꼈던 부드럽고 달콤하고 애잔한 감정들의 표면에 빙당호로처럼 설탕물을 발라서, 더욱더 부드럽고 달콤하고 애잔한 감정으로 남게 하는 것이 세월이었다.

송곳처럼 날카롭고, 파도처럼 격렬하며 치열했던 감정들의 뾰족한 부분들이 세월이라는 물길에 쓸리고 깎여

나가서 조약돌처럼 둥글게 변하는 것이다.

그래서 옛 추억은 언제나 가슴이 아렸다.

'너도 나와 같아?'

장예추는 천소유를 향해 속으로 그렇게 물었다.

물론 그녀의 대답을 들을 수는 없었다. 하지만 장예추는 이미 그녀의 대답을 들은 기분이었다.

장예추는 자신을 바라보고 있는 그 투명하면서도 한없이 차갑고 무뚝뚝한 눈빛을 보면서, 이제는 그녀와의 추억에서 깨어날 때가 되었다고 생각했다.

'그래, 이젠 끝난 일이지. 그것도 악연으로 끝나 버린.'

그녀의 오라버니 천휘수를 죽이고 그녀의 가문이 목표로 했던 강시의 부활을 막은 순간, 장예추는 이미 돌이킬 수 없는 강을 건넌 것이다.

그녀는 장예추의 첫사랑이 아니라 적이었다. 그것도 수십 명의 절정고수를 이끌고 무림오적을 해치우러 나타난 강적이었다.

사실 그녀를 만나게 되면 더 애절할 줄 알았다. 감정이 마구 북받쳐 올라 어찌할 바를 모르게 되고 심지어 눈물까지 흘릴 거라고 생각했다.

하지만 그건 착각이었다.

나이를 먹으면 어릴 적 입맛도 변하게 되는 법이었다. 첫사랑의 추억과 감정이 이미 세월의 무게 속에서 아스

라이 엿어진 것도 모른 채, 장예추는 그저 옛 추억과 기억의 보정을 통해 스스로를 속이고 있었던 것이다.

그래.

더 이상 첫사랑은 없는 것이다.

찰나의 순간 속에서 억겁 같은 상념의 시간이 흘러갔다.

장예추는 정신을 바짝 차렸다. 지금은 천소유를 생각하고 있을 때가 아니었다.

그 천소유를 중심으로 십여 명의 추격대 고수들이 진을 쳤으며, 그 뒤로 다시 십여 개의 검은 그림자들이 그녀를 호위하듯 지키고 있었다. 바로 그들이 장예추가 상대해야 할 자들이었다.

조금 전 목숨을 잃은 태극천맹의 고수들은 장예추를 과소평가했다. 그들은 느닷없이 달려오는 장예추를 비웃으며 전력을 기울이지 않았다. 그 결과, 그들은 어이없을 정도로 가볍게 자신들의 목숨을 잃었다.

하지만 남은 자들은 달랐다. 여전히 연못 주위를 포위하고 있는 고수들은 차치하더라도, 천소유와 함께 대치하고 있는 자들의 기세는 조금 전과 전혀 달랐다. 지금이라면 아까처럼 간단하고 어이없게 포위망이 뚫리지 않을 것 같았다.

"강 형님과 담 형님은요?"

장예추는 정면에서 시선을 떼지 않은 채 물었다. 설벽
린이 뒤를 돌아보았다.

강만리와 담우천은 아직도 정자 안에서 버티고 선 채
노기인들과 정면 대결을 벌이는 중이었다.

강만리와 능운추풍의 경우에는 조금 전 고목대사와 설
벽린의 싸움과 정반대의 상황이었다.

강만리가 무지막지한 위력이 실린 주먹을 마구 휘두르
는 가운데 능운추풍은 바람처럼 표홀하고 안개처럼 모호
한 보법을 밟으며 가볍게 그의 공격을 피하고 있었다.

물론 그렇다고 해서 능운추풍이 역습을 가할 정도로 여
유가 넘치는 건 아니었지만, 이대로 간다면 강만리는 결
국 힘이 떨어지고 내공이 부족해져서 자멸하게 될 가능
성이 농후했다.

담우천과 멸절사태의 싸움도 치열했다.

아직 내상이 완치되지 않은 담우천이 펼치는 검법은 멸
절사태의 노련하고 계획적인 운영을 당해 내지 못하고
있었다.

반면 멸절사태는 담우천이 펼치는 환섬신루의 움직임
을 훤히 꿰뚫었으며 그의 쾌검과 중검과 환검 모두 대비
하고 방비하여 막아 내고 있었다.

담우천은 가끔씩 역공을 취하는 멸절사태의 선장을 가
볍게 흘려 보내거나 비껴 내는 것으로 그녀의 공세를 수

월하게 벗어났다.

단지 그 모습만 보자면 담우천이 조금이라도 더 우위를 지닌 것 같았으나, 담우천이 아직 부상에서 완쾌되지 않았다는 점과 또 멸절사태의 뒤에는 홍염철검 등 또 다른 노기인들이 버티고 있다는 걸 고려한다면 확실히 불안한 상황임은 틀림없었다.

"생각보다 좋지 않아."

설벽린은 그들의 싸움을 지켜보면서 입을 열었다.

"아무래도 궁합이 좋지 않은 것 같아. 강 형님에게는 내가 상대했던 늙은 중이 딱 어울리는데 말이지. 저렇게 갈대처럼 이리저리 휘청이는 늙은이는 나와 어울리고 말이지. 게다가 저 늙은 여승은 어찌 저렇게 담 형님의 공격을 쏙쏙 피하는지 모르겠어. 마치 언제 어떤 식으로 공격을 할지 다 알고 있다는 것처럼 말이야."

"강 장주가 상대하는 자는 능운추풍이라고, 보법과 신법의 달인이다."

유 노대가 전면에서 시선을 떼지 않은 채 말했다. 강호에서 오랜 밥을 먹은 경험과 연륜을 바탕으로 그는 정자의 노기인들이 누구인지 단번에 알아보았다.

"그리고 네놈이 상대하다 죽다 살아난 노승은 고목대사라고, 내공이 심후하고 강기를 자유자재로 사용하는 인물이지."

"고목대사? 흥! 어쩐지 다 썩어 문드러진 나무를 상대하는 것 같더라고요."

"그리고 담 장주와 싸우는 이는 멸절사태다. 이른바 군림십왕과 필적하는 무위를 지녔다는 고수 중의 고수이지."

"아하, 그래서 담 형님과 일진일퇴의 공방을 펼치는 겁니까? 하지만 아무리 그렇다고 해도 담 형님의 공격이 너무 쉽게 막히는데요?"

"멸절사태의 능력인 게지. 한 번 본 무공에 대해서 누구보다도 더 빠르고 완벽하게 파훼점을 찾아내는 능력. 그 능력 덕분에 정사대전 당시 많은 사마외도의 고수들이 죽임을 당했지."

"으음…… 그럼 담 형님이 저 여승을 이기지 못한다는 겁니까?"

"설마요."

나찰염요가 살기등등한 가운데 부드러운 어조로 확고하게 말했다.

"그이는 아직 모든 무공을 다 보여 준 게 아니니까요."

"어라? 또 있답니까?"

설벽린이 눈을 휘둥그레 뜰 때였다.

무너진 정자의 싸움에서 급격한 변화가 일어났다. 시녀들의 뒤에 숨은 채 싸움 구경을 즐기던 금적산이 오랜만에 입을 연 것이다.

"너무 좁은 곳에서들 노는 것 같은데."

금적산은 시녀들을 향해 말했다.

"손님들과 불청객을 모두 정자 밖으로 모셔라."

금적산을 포위하듯 빙 둘러싼 열두 명의 시녀가 그 명령을 받고 앞으로 걸어 나왔다.

그녀들의 움직임은 실로 기묘했다. 열두 명이 원을 그리듯 옆으로 이동하는 동시에, 원 전체가 천천히 앞으로 밀려 나오고 있었다.

정자 뒤쪽에서 싸움을 지켜보던 노기인들은 눈살을 찌푸리고는 그녀들을 향해 가볍게 일장을 날렸다. 함부로 움직이지 말라는 경고의 일격이었다.

하지만 노기인들이 날린 일장은 시녀들의 몸에 닿기도 전에 흔적도 없이 사라졌다. 조금 전 설벽린을 놓치는 바람에 졸지에 닭 쫓던 개가 되어 버린 고목대사가 그 광경을 보고 깜짝 놀라며 소리쳤다.

"십이천녀귀천진(十二天女歸天陣)!"

원 한가운데에서 중심을 잡고 원의 이동에 따라 천천히 발걸음을 하던 금적산의 눈이 휘둥그레졌다.

"호오. 실전된 지 이백여 년이 지난 이 진법을 알고 있는 사람이 또 있을 줄이야."

확실히 시녀들이 펼치는 진법을 아는 이가 없기는 없는

모양이었다. 고목대사 주변의 노기인들이 눈을 동그랗게
뜨며 그에게 물었다.

"십이천녀귀천진이라니, 처음 들어 보오. 도대체 어떤
진법이란 말이오?"

고목대사는 입술을 씹다가 입을 열었다.

"과거 내 조사(祖師)께서 깊은 산중에서 길을 잃고 헤
매다가 우연히 선녀곡(仙女谷)의 여인들을 만나게 되었
소. 십이천녀귀천진은 바로 그 선녀곡 여인들의 독문절
기라오. 그리고 내 조사는 선녀곡에 머무는 동안 그녀들
에게 한 수 가르침을 받았으니, 바로 그게 고목와선탄이
자 내 무공의 근원이라 할 수 있소."

"아아, 조금 전 그 광경이 고목대사의 와선탄과 흡사하
다는 생각이 든 게 바로 그런 이유였구려."

고목대사의 고목와선탄은 내공의 기파(氣波)를 회전시
켜 만들어 내는 소용돌이로 그 회전력을 통해 상대의 공
격을 파훼하고 빗겨 나가게 만드는 묘용이 있었다.

회전이 빠를수록 공격력과 반탄력 또한 강대해져서 그
누구도 감히 정면으로 맞부딪치는 걸 단념해야 했다.

십이천녀귀천진 역시 그와 비슷한 원리로 작동되는 진
법이었다. 원을 그리며 서 있는 열두 명의 여인이 돌기
시작하면서 회전력과 원심력이 생기고, 그 힘을 바탕으
로 적의 공격을 막고 또 적을 공격하기도 했다.

지금은 원을 도는 시녀들의 얼굴을 일일이 확인할 수 있었지만, 십이천녀귀천진이 십성 발휘될 때에는 오직 단 한 여인의 얼굴만이 보인다고 했다. 그게 바로 천녀(天女)의 얼굴이라 했다.

　"자, 자. 예서 이럴 게 아니라 다들 연못 밖으로 나가서들 싸우자고."

　십이천녀귀천진이 조금씩 앞으로 나아갔다. 노기인들은 어찌할 바를 몰라서 뒤로 밀려나며 서로를 돌아보았다.

　곧 그 여파는 능운추풍과 치열한 싸움을 벌이던 강만리에게까지 이어졌다. 자신의 등 뒤에서 무시무시한 기파가 다가오는 걸 느낀 강만리는 짜증을 내며 소리쳤다.

　"방해하지 마십시오!"

　"방해하는 게 아닐세."

　금적산이 이죽거리듯 말을 받았다.

　"보다 넓은 곳에서 싸우라는 게지."

　그 와중에도 원진(圓陣)이 도는 속도는 점점 빨라져서, 태풍처럼 강력한 바람을 일으키며 주변 모든 것에 영향을 주기 시작했다.

　안 되겠다 싶었는지 고목대사가 훌쩍 몸을 날려 정자 밖으로 날아오르며 소리쳤다.

　"다들 밖으로 나오시오!"

구경하고 있던 노기인들이 하나둘씩 정자를 벗어났다. 능운추풍도 강만리를 보고는 고개를 끄덕였다. 그러고는 허공 높이 솟구쳤다가 연못 밖으로 날아내렸다.

노기인들 중에서는 오직 멸절사태만이 홀로 남아서 이를 악물고 담우천과 싸우고 있었다.

능운추풍과 노기인들을 물러나게 한 금적산은 다시 시녀들에게 지시를 내려 멸절사태를 향해 원진을 이동하게 했다.

"흥!"

멸절사태는 코웃음을 치며 전력으로 선장을 휘둘러 원진을 내리쳤다.

콰앙!

굉음과 함께 선장이 튕겨 나갔다. 그 감당할 수 없는 반탄력에 하마터면 선장을 놓칠 뻔한 멸절사태는 더욱더 단단하게 선장을 쥐고는 다시 한번 선장을 휘둘러 원진을 파괴하려 했다.

그러나 이번에도 마찬가지였다. 그녀의 선장은 빠른 속도로 원을 그리며 움직이는 십이천녀귀천진에 튕겨 나갔다. 멸절사태는 손목이 시큰거리는 걸 참으며 어쩔 수 없이 정자에서 물러나야 했다.

3. 비루한 돈벌레

담우천과 강만리도 훌쩍 몸을 날려 장예추 일행이 포진하고 있는 곳으로 안착했다. 금적산도 시녀들의 도움을 받아 날아올랐다가 천천히 그들 곁으로 내려섰다.

지켜보던 이들의 눈빛이 새롭게 반짝였다.

시녀들이 무공을 익힌 건 익히 알고 있었지만 생각보다 훨씬 고강한 무위를 지니고 있었던 것이다.

아니, 개개인의 무위는 일반 일류 고수를 약간 상회하는 수준일지 몰라도 한 명, 두 명 그 수가 늘어날수록 무위는 두 배, 세 배 증가하는 듯했다.

연못 주변을 포위하고 있던 고수들이 일제히 자리를 이동하여 금적산과 강만리 일행을 에워싸는 가운데, 고목대사가 낮은 목소리로 중얼거렸다.

"선녀곡 무공의 특징이라고 하셨지."

곁에 서 있던 칠절수사가 그를 돌아보며 물었다.

"뭐가 특징이라는 말씀이십니까?"

"아, 그녀들의 무공 말이오. 선녀곡에는 여인들밖에 없었다오. 그리고 일반적으로 여인들의 능력이 사내들의 그것에 미치지 못한다는 사실에, 선녀곡은 자신들만의 특별한 심법을 만들어 냈다고 하오. 함께 심법을 운용하고 기를 나눌 수 있는 이의 수가 늘어날수록 그들의 무위가 배가된다는 것이오."

"허어, 그게 가능합니까?"

"물론 나도 조사로부터, 사부로부터 전해 들은 이야기라 확신할 수는 없소이다. 하지만 어쨌든 단언할 수 있는 건, 저 열두 명의 시녀야말로 금적산이 지닌 병력의 절반이상을 차지한다는 것이오."

"흐음."

곁에 서 있던 노기인들은 침음성을 흘리며 여인들을 바라보았다.

시녀들은 대형을 크게 넓혀서 금적산은 물론 강만리 일행까지 자신들의 원진 안에 두고 있었다. 무심한 듯 추격대 고수들을 바라보고 있는 시녀들의 눈빛에서는 당당한 자신감이 스며 나오고 있었다.

한편 나찰염요는 담우천 곁으로 다가서며 나지막한 목소리로 물었다.

"다친 곳은 없어요?"

"괜찮다."

담우천은 담담한 어조로 말했다.

"한동안 누워만 있었으니 대련 삼아 가볍게 움직였을 뿐이다. 이제 조금 팔다리의 움직임이 원활해지는 것 같다. 내공도 어지간히 돌아온 것 같으니까."

"그럴 줄 알았어요."

나찰염요는 배시시 웃으며 말했다.

"저깟 늙은 여중에게 곤욕을 치를 당신이 아니라고 믿고 있었거든요. 설 도련님은 꽤 걱정하는 눈치였지만."

"제가 또 무슨 걱정을 했다고 그러십니까, 형수."

설벽린이 투덜거리듯 말했다.

"저도 담 형님은 믿고 있었거든요. 강 형님은 모르겠지만."

"왜 애꿎은 화살이 내게까지 날아오누?"

강만리가 눈살을 찌푸렸다.

"잡담은 그만하고, 군악과 초 노야는?"

"만해 사부께서 도주할 준비를 하고 계십니다. 아, 약당주도 우리와 함께 길을 나서기로 했습니다."

"호오, 그거 잘됐군."

강만리는 젊은 약당주를 떠올렸다.

한때 강만리는 사천 성도부의 젊은 의생 한 명을 두고 그 전설의 약왕문 사람이 아닐까 하는 의구심을 가진 적이 있었다. 그래서 금적산이 자신의 약당주가 약왕문의 후예라고 했을 때 저도 모르게 그 젊은 의생을 떠올렸다.

'구씨 의생이었지, 아마?'

하지만 이곳 월아원에 와서 직접 만나 본 약당주는 강만리가 생각했던 그 젊은 의생이 아니었다. 또한 금적산이 약왕문의 후예라고 소개했던 것과는 달리 약당주 본인은 난처한 듯 웃으며 '설마요'라고 대답했다.

놀랍게도 금적산은 '응? 내가 언제? 그저 나는 약왕문의 후예라는 소리를 들을 만큼 용하다고 말하려던 것이었는데. 뭔가 오해가 있었나 보군그래' 하면서 시치미를 딱 떼는 것이었다.

'정말이지, 저 정도로 얼굴이 두꺼워야 돈을 벌 수 있는 건가?'

강만리는 그런 생각을 하며 금적산의 거대한 등을 노려보았다. 그때 천소유가 앞으로 한 걸음 나서며 금적산을 향해 입을 열었다.

"정녕 우리와 척을 지시렵니까?"

금적산은 가만히 그녀를 바라보다가 느닷없이 크게 하품을 하며 말했다.

"벌써 잠자리에 들 시간이라고. 늦게 자면 피부에 안 좋다니까. 빨리빨리 결과를 내야 하지 않겠나?"

그러자 천소유의 곁에 서 있던 천호대군이 눈살을 찌푸리며 말했다.

"그럼 순순히 항복하면 될 게 아니오?"

천소유가 가볍게 눈살을 찌푸렸다.

추격대의 전권을 쥐고 있는 천소유가 직접 금적산과 대화를 나누고 있는데도 불구하고 이렇게 함부로 끼어든다는 건, 그만큼 천호대군이 그녀를 존중하지 않고 있다는 걸 의미했기 때문이었다.

금적산은 피식 웃었다.

"나만 항복하면 끝나나?"

그는 턱으로 강만리와 담우천을 가리키며 말을 이었다.

"이 친구들은 항복할 생각이 전혀 없는 것 같은데."

"그럼 어찌하면 결과가 빨리 날 수 있겠소?"

"그쪽이 항복하고 물러나는 건 어떨까?"

"말도 안 되는 소리!"

이번에는 천호대군의 곁에 서 있던 칠절우사가 크게 소리쳤다.

"천하의 금해가가 일개 돈벌레에게 고개를 조아릴 거라고 생각하느냐!"

천소유는 내심 한숨을 쉬었다.

천호대군은 금해가의 병권(兵權)을 쥐고 있는 자였고, 칠절우사는 백팔숙객 중의 상위에 해당하는 자였다. 그들은 지금 태극천맹은 전혀 아랑곳하지 않고 오로지 금해가의 체면과 위신과 긍지만을 놓고 금적산과 싸우고 있었다.

'이러니 맹주가 오대가문을 싫어하고 저어하는 거겠지.'

천소유는 속으로 중얼거렸다.

한편 일개 돈벌레라는 욕을 듣고서도 금적산은 화를 내지 않았다.

"뭐, 확실히 천하의 금해가가 고개를 조아릴 것까지는

없겠지."

그렇게 말한 금적산은 문득 의미심장한 표정을 지은 채 천천히 발을 움직여 십이천녀귀천진에서 벗어났다. 그러고는 뒷짐을 진 채 추격대 고수들을 둘러보며 차분한 어조로 은근하게 말했다.

"어쨌든 내게 이 싸움을 최대한 빨리 끝낼 수 있는 좋은 생각이 있는데."

천호대군이 가볍게 인상을 찡그리며 말했다.

"할 말이 있거든 뜸 들이지 말고 말씀하시오."

금적산은 싱긋 웃으며 물었다.

"내가 힘을 빌려주는 건 어떤가?"

일순 칠절우사와 천호대군의 입이 벌어졌다. 지금 그가 한 말이 무슨 의미인지 알아들을 수가 없다는 표정이었다.

금적산은 어깨를 으쓱거리며 계속해서 말했다.

"비록 그대들의 수가 많기는 하지만 저 친구들을 상대로 쉽게 이길 것 같지 않아서 하는 말일세."

"그러니까 그건……."

천호대군이 살짝 당황한 기색으로 말꼬리를 흐렸다.

"그렇다고 내가 이 친구들을 도와서 그대들과 싸운다 한들 이긴다는 보장도 없는 것 같고."

"그건 그러니까……."

"그렇다네. 내가 그대들과 힘을 합쳐서 이 친구들을 항복시킨다면 그건 어떨까, 하는 말일세."

금적산의 말에 천호대군을 비롯한 노기인들은 물론, 강만리 일행을 크게 포위하고 있던 자들 모두 놀람을 금치 못했다. 심지어 천소유조차 눈을 휘둥그레 뜨고 금적산을 바라볼 정도였다.

놀란 건 그들뿐만이 아니었다. 십이천녀귀천진의 보호를 받고 있던 강만리도 장예추도 설벽린도 어안이 벙벙한 얼굴이 되었다.

"뭐, 뭐야, 지금 저 소리는? 설마 우리를 배신하겠다는 거야?"

설벽린이 당황해하며 말하자, 강만리가 낯을 찌푸린 채 말을 받았다.

"조금 더 지켜보자. 도대체 무슨 생각을 하는 건지 나도 이해할 수가 없구나."

"푸하하하!"

금적산은 내당의 모든 이들이 놀라고 당황해하는 모습을 보면서 크게 웃음을 터뜨렸다.

"왜? 뭘 그리 놀라는가?"

금적산은 억지로 웃음을 참으며 물었다.

천호대군은 침을 꿀꺽 삼키고는 입을 열려다가 무슨 생각이 들었는지 슬그머니 한 걸음 뒤로 물러났다.

또한 그는 칠절우사가 말하려는 걸 잡아채면서 고개를

저었다. 칠절우사는 영문도 모른 채 그를 따라 뒤로 물러났다. 졸지에 천소유가 맨 앞에 서게 되었다.

천소유는 물끄러미 금적산을 바라보다가 불쑥 입을 열었다.

"만약 그 말이 진심이라면 지금껏 천맹과 척을 졌던 모든 행동에 대한 죄를 묻지 않겠어요."

그녀의 차분한 목소리는 밤바람을 타고 내당 저편까지 낭랑하게 퍼져 나갔다. 하지만 금적산은 제대로 듣지 못했다는 듯이 귀를 내밀며 "응?" 하고 되물었다.

"그게 무슨 소리일꼬? 지금 누가 누구의 죄를 묻지 않겠다고 했나?"

천소유는 침착하게 말했다.

"태극천맹이 대륙전장의 장주 금적산의 죄를 묻지 않겠다고 했어요."

"내가 무슨 죄를 지었는데?"

"지금 그걸 몰라서……."

"헛소리!"

금적산은 단호한 어조로 천소유의 말을 잘랐다.

"우연히 길에서 이 친구들을 만난 죄? 사람 사귀는 걸 좋아하는 성격에 그들을 이곳 월아원으로 초빙한 죄? 벗들과 함께 만찬을 즐기다가 느닷없는 불청객으로 인해 피를 본 죄? 주인의 허락 없이 함부로 쳐들어와서 수하들을 해치고 다치게 한 죄? 그리고 내 정자를 비롯한 기물이 그대들에 의해 함부로 파괴당한 죄? 도대체 무슨 놈의 죄가 그따위이고, 또 그대의 얼굴이 얼마나 두껍기에 감히 그따위 죄를 묻지 않겠다고 하는 것이더냐!"

금적산은 추상(秋霜)처럼 매서운 얼굴로 호령했다. 산천초목(山川草木)이 벌벌 떨 정도의 기세가 그의 전신에서 서리서리 뿜어져 나왔다.

천소유도 지지 않고 맞받아쳤다.

"그래서 이미 말씀드렸잖아요? 본 맹과 금해가와 본 가의 체면을 생각해서라도 저 무림오적들을 내달라고 말이죠! 그럼 장주께 사과하고 깨끗하게 물러나겠다고, 분명 그리 말씀드리지 않았나요?"

"그럼 내 체면은?"

금적산은 눈을 부라리며 말했다.

"평생을 사귄 벗들 앞에서 만신창이가 되어 버린 내 체면은? 충성으로 날 보호하고 월아원을 지킨 수하들에 대한 내 체면은? 그건 왜 생각하지 않은 게지? 천하의 태극천맹이면, 금해가면, 오대가문이면 그렇게 함부로 행동하고 말해도 상관없다는 것이더냐? 세상 사람들의 눈이 두렵지 않더냐!"

호통치는 금적산의 이야기는 하등 틀린 점이 없었다. 그의 속내가 어쨌든 간에 외형적으로 드러난 상황만 놓고 보자면, 확실히 천소유가 벌인 짓은 만인의 지탄을 받기에 충분했다.

천소유는 한숨을 쉬며 입을 열었다.

"이미 늦었어요. 싸우기 전에 타협을 원했다면 모르되 이렇게 싸우기 시작한 이상 끝을 봐야겠죠."

"아니, 늦지 않았네. 그대가 한 걸음 물러날 생각만 있다면 말일세."

"저는 반드시 무림오적을 잡아야 해요."

"그러니까 말이지. 지금 나는 내가 무림오적을 잡게 해 주는 대신 그대가 날 위해 뭘 해 줄 수 있느냐, 하는 이야기를 하는 걸세."

금적산의 제안에 천소유는 입을 다물었다. 그제야 금적산이 왜 화를 내는지, 왜 자신의 체면과 손해에 관해서 저렇게 떠들어 댔는지 알 것 같았다.

'비루한 돈벌레.'

천소유는 저도 모르게 그렇게 속으로 중얼거렸다.

겉으로는 의기 넘치고 사람 사귀기 좋아하며 신의(信義)를 황금보다 중요시하는 것처럼 행동하던 금적산이었다.

하지만 알고 보니 그저 자신의 이익만 생각하는, 비루하기 짝이 없고 탐욕스럽기만 한 돈벌레에 불과했던 게다.

2장.
우리는 생각보다 훨씬 강하오

'조금만 더.'
아직 부족하다.
약간의 시간, 찰나의 시간이 더 필요했다.
다시 그 금강류하라는 강기를 펼쳐 내기 위해서는.

1. 꿍꿍이속

금적산은 진심이었다.

언제나 그는 진심이었다. 어떤 자를 대하거나 어떤 일을 계획하거나 진행할 때도 늘 한결같이 진심이었다. 화를 낼 때도 웃을 때도 칭찬할 때도 비웃을 때도 마찬가지였다. 그는 항상 진심이었다.

문제는 그 진심이 수시로 바뀐다는 점에 있었다. 상황에 따라, 기분에 따라, 상대의 반응에 따라, 유불리에 따라서 그의 진심은 언제든지 얼마든지 바뀌었다.

완벽하다고 생각하여 추진하던 계획은 즉각 중단되기도 했다. 혹은 뜯어고치고 변경해서 전혀 다른 계획으로 이어지게 하기도 했다.

그래서 금적산을 잘 아는 사람들은 그가 즉흥적이라고 평가했으며, 또한 사람이 진중하지 못하고 한없이 가볍다고 비난하기도 했다.

하지만 놀라운 건, 그 즉흥적이고 변화무쌍한 성격에도 불구하고 그의 계획은 언제나 상당한 성과의 결과물을 만들어 낸다는 점이었다.

심지어 금적산을 비난하거나 평가절하하는 이들조차 그가 만들어 내는 결과물에 대해서는 아무런 말을 하지 못했다. 어쨌든 대륙전장을 이 정도로 키워 낸 자는 다름 아닌 금적산이었으니까.

금적산은 돈에 관하여는 그 누구보다도 기막히게 냄새를 맡았다. 남에게 보이지 않는 돈나무가 어디에서 자라는지 본능적으로 알고 있었으며, 언제쯤이면 그 돈나무에서 열매가 열려 돈이 와르르 떨어질지도 알았다.

어쩌면 그 돈나무가 자라는 곳을 찾느라고, 돈나무의 열매가 맺는 때를 기다리느라고 그는 수시로 계획을 변경하고 마음을 바꾸는 것인지도 몰랐다.

그는 모든 일에 진심이었다.

특히 돈이 되는 일에는, 자신의 이익이 되는 일에는 그 어떤 것보다 진심이었다.

바로 지금처럼.

* * *

　금적산은 능글맞은 목소리로 말했다.

　"그러니까 말이지. 지금 나는 내가 무림오적을 잡게 해 주는 대신 그대가 날 위해 뭘 해 줄 수 있느냐, 하는 이야기를 하는 걸세."

　그 말이 떨어지는 순간 장내는 찬물을 끼얹은 것처럼 싸늘해졌다.

　차가운 정적이 내당을 가득 뒤덮는 가운데, 모든 이들이 놀란 눈으로 금적산을 바라보았다. 금해가나 태극천맹의 고수들은 물론, 강만리 일행도 어이가 없다는 시선으로 시녀들에 가려진 금적산의 뒤통수를 노려보았다.

　금적산은 사람들의 시선이 일제히 자신에게로 쏠리자 가슴이 아프다는 표정을 지으며 입을 열었다.

　"나도 이런 제안은 하고 싶지 않았다네. 어쨌든 이 친구들은 내 초대를 받고 온 이들이고, 주인 된 자로서 적어도 내 집 안에서는 그들의 안전을 지켜 줘야 할 의무와 책임이 있으니까."

　당연했다.

　그랬기에 금적산이 태극천맹이나 오대가문과 끝까지 싸우는 한이 있더라도 반드시 손님들을 지키겠다고 했을 때, 강호의 늙은 영웅들이 내심 감탄하며 고개를 끄덕였다. 그 의기와 책임감을 높이 산 것이다.

금적산의 말은 계속해서 이어졌다.

"그 도리와 의무를 저버리면서까지 자네들을 도우려 하는 것일세. 만약 이 사실이 세상에 알려지면 만인의 지탄을 받게 될 것이야. 내 평판과 신뢰도는 땅으로 떨어질 것이고. 그럼에도 불구하고 그대들이! 태극천맹과 오대가문 사람들이! 무림의 공적 운운하면서 협조를 구하는데 내가 어찌 끝까지 외면할 수 있겠느냐 이거다!"

금적산은 우렁찬 목소리로 포효하듯 외쳤다.

"그러니 그에 합당한 보상이 있어야 할 게 아닌가? 내 책임과 의무를 버리고. 신뢰와 의기를 포기한 채 그대들을 돕겠다는데 그에 상응한 뭔가가 있어야 하는 게 도리이고. 또 제대로 된 협상이 아니냐는 말이다."

천소유는 속으로 한숨을 쉬며 중얼거렸다.

'비열한 돈벌레 같으니.'

말은 번지르르했다. 표정과 목소리, 말투는 애절하고 비장하며 결의에 차 있었다.

하지만 결국 금적산의 모든 행동과 이야기는 돈으로 귀결되고 있었다. 자신이 원하는 금액에 강만리 일행을 팔아넘기겠다는 것이니까.

천소유는 여전히 서늘한 표정을 유지한 채 천천히 입을

열었다.

"뭘 원하시는데요? 최대한으로 맞춰 드리겠어요."

금적산이 크게 한숨을 쉬며 머리를 설레설레 흔들었다.

"이보시게. 그리 말하면 내가 꼭 돈 때문에 이런 결심을 한 것처럼 보이지 않는가? 그저 나는 내가 이렇게 가슴 아파하는 것데 대한 조그마한 성의를 보여 달라는 것뿐일세."

"조그마한 성의요?"

"그렇지. 내가 돈에 구애받을 사람이라고 생각하나? 그대들이 부수고 박살 낸 이 장원의 피해액만 하더라도 수만 금이 될 걸세. 내 죽거나 다친 수하들을 위로하고 치료하는 데에도 수만 금이 들 걸세. 그들의 가족이 곤란을 겪지 않도록 도와주고 보살피는 일에도 역시 수만 금이 필요할 걸세. 내가 그 돈을 받으려 할 것 같나? 안 받을 것이네. 그 정도의 돈, 내 비상금에서 얼마든지 해결할 수 있네."

"그럼 어떤 성의를 보여 드려야 하는지요."

"뭐, 성의면 족하네. 내가 고개를 끄덕일 수 있을 정도의 아주 자그마한 성의."

금적산은 말을 빙빙 돌릴 뿐, 자신이 원하는 걸 쉽게 입에 올리지 않았다.

천소유는 다시 속으로 한숨을 쉬고는 그가 마음에 들어 할 만한 것을 찾아 입을 열었다.

"예를 들자면 앞으로 태극천맹과 오대가문의 금전 거래는 오직 대륙전장을 통해서 이뤄진다, 이런 거는요?"

금적산은 희미하게 웃으며 고개를 저었다.

"아니, 그런 조건을 내걸지 않더라도 이미 칠 할 가까운 거래를 하고 있으니까."

"하지만 예서 협상이 결렬된다면 그 칠 할의 거래가 모두 다른 전장으로 넘어간다는 것 정도는 아시겠죠? 그것까지 생각하면 꽤 큰 거래라고 할 수 있을 텐데요."

"그러나 다른 조건의 성의를 받아들여서 협상이 이뤄진다면 칠 할의 거래는 기본으로 깔고 갈 수 있겠지."

'아아, 진짜 비루한 돈벌레다.'

천소유는 금적산의 본질을 꿰뚫어 보고는 저도 모르게 가볍게 진저리를 쳤다. 이렇게 돈에 환장한 거물은, 확실히 오래간만에 보는 것이다.

그녀는 한숨을 내쉬며 고개를 저었다.

"이 둔한 머리로는 더 이상의 좋은 조건을 생각해 낼 수가 없네요. 뭔가 약간의 도움이 될 만한 암시라도 해 주셨으면 좋겠어요."

"뭐, 너무 거창하게 생각하지 않으셔도 되네."

금적산은 헛기침을 하면서 입을 열었다.

"가령 예를 들자면 말일세. 그러니까 금해가가 대륙의 모든 상권을 통일하여 하나의 거대한 연합체를 만들려고 하고 있지 않은가?"

천소유는 가만히 금적산을 쳐다보았다.

금해가가 대륙 상권을 일통(一統)하여 마치 태극천맹과 같은 상권의 연맹을 만들고자 하는 계획은 꽤 오래전부터 진행하고 있는 일이었다.

칠팔 년 전, 금해가에 젊은 상인 두 명이 나타나 그 계획을 설명했고 금해가주 초일방은 꽤 매력적인 생각이라 여기고 그들의 제안을 받아들였다.

이후 두 젊은 상인, 화군악과 종리군은 금해가의 어린 상두(商頭)가 되어 눈부실 정도로 활약하다가 어느 순간 종적을 감췄지만, 금해가는 그 이후로도 계속해서 계획을 진행하였고 이제 어느 정도 가시적인 성과를 눈앞에 두고 있었다.

물론 비선의 초운혜도 왜 그 두 명의 젊은 상인이 종적을 감췄는지 그 깊은 속사정까지는 알 수 없었다. 하지만 화군악이라는 자가 태극천맹의 감옥인 지저갱에서 공적 십이마인 야래향과 빙혼마고를 탈출시켰다는 사실은 알고 있었다.

천소유의 상념이 살짝 엉뚱한 방향으로 이어지려는 순간, 그녀는 크게 고개를 휘저어 정신을 차린 다음 입을 열었다.

"설마 전장 또한 하나로 통일하고 싶다, 그런 이야기인가요?"

"설마."

금적산은 피식 웃으며 고개를 저었다.

"그건 아무리 태극천맹이나 오대가문이라 할지라도 어찌해 볼 수 없는 일이고, 내가 알아서 해야 할 일이라네."

"그럼 도대체 뭘 원하는데요?"

천소유의 질문에 일순 금적산의 표정이 딱딱하게 굳어졌다. 그는 더없이 진지한 표정으로 천소유를 바라보며 천천히 입을 열었다.

"금해가의 진출을 막아 달라는 것일세."

"네?"

"금해가가 천하 상권을 일통하면 다음 단계로 전장을 노릴 것이야. 천하의 상권을 오른손에, 그리고 그 자금을 대주는 전장을 왼손에 거머쥐게 되면 금해가는 나라를 전복(顚覆)할 수 있는 힘을 가지게 되네. 그걸 막아 달라는 것이네."

천소유는 눈을 동그랗게 뜨고 금적산을 쳐다보다가 고개를 휘휘 내저으며 말했다.

"그럴 리 없어요. 아무리 금해가라 할지라도 거기까지는 생각하지도, 야망을 품지도 않을 거예요."

"모르는 소리!"

금적산이 버럭 소리를 질렀다. 이어 금적산은 쉬지도 않고 빠르게 말을 이어 나갔다.

"배가 고프면 밥을 먹고, 배가 부르면 차 한 잔을 마시는 게 당연한 수순이지 않던가? 상권과 전장도 마찬가지이네. 천하의 상권을 제압하게 되면 전장에 가져다 바치는 이자가 아쉬워지게 될 수밖에 없네. 스스로 전장을 만들거나 혹은 기존의 전장을 흡수하여 제 것으로 만든다면, 굳이 이자를 내지 않고 전장을 이용할 수 있고 또 전장의 모든 돈을 자기 마음대로 사용할 수가 있네. 어디 그뿐인가? 자금이 부족하다 싶으면 아예 전표까지 발행할 수가 있다네. 그리하여 얻게 된 그 막대한 자금력을 바탕으로, 세상 모든 물가(物價)를 한 손에 쥐고 쥐락펴락할 수 있게 되는 게지."

평생을 강호에서 칼밥만 먹고 살아온 노기인들이나 고수들은 지금 금적산이 이야기하는 내용의 절반도 채 이해하지 못한 채 멍하니 입을 벌리고 있었다.

아무래도 그들에게 있어서 상권이니 이자니 금리니 물가니 하는 단어들은 너무나도 낯설고 생소한 것들이었다.

그러나 천소유는 다른 모양이었다.

금적산의 이야기가 이어지는 동안 그녀의 얼굴빛이 천

천히 변했다. 그녀는 창백해진 얼굴로 금적산을 바라보았고, 금적산은 한숨에 그 긴 이야기를 토해 내고는 길게 숨을 들이마셨다가 내뱉었다.

"휴우. 내가 걱정하는 건 이 나라, 그리고 백성들이네. 상권과 금권은 어느 한 가문, 한 사람의 손에 쥐어지기에는 너무나 위험천만한 존재라네. 그러니 나를 위해서가 아니라 이 나라, 백성들을 위해서라도 반드시! 금해가가 전장 업계에 진출하는 건 막아야 하네."

금적산은 당당히 말했다.

"거기에 그대가 동의하고 오대가문의 이름으로 각서(覺書)를 쓰고 태극천맹이 보증을 선다면, 내 자존심과 체면과 신의를 버리고 내 손님들을 그대들에게 넘겨주겠네. 어떤가, 내 제안이?"

천소유는 답하지 못했다.

도대체 무슨 꿍꿍이속인지 전혀 감을 잡을 수가 없었던 까닭이었다.

2. 개소리

금적산의 긴 이야기에 대한 반응은 천소유가 아닌, 강만리의 입에서 튀어나왔다.

"그 말, 사실이오?"

멍한 표정을 짓고 있던 사람들의 시선이 그에게로 쏠렸다. 금적산도 천천히 뒤를 돌아보았다. 천소유도 시녀들에 둘러싸여 있는 강만리를 쳐다보았다.

"아, 미안하게 생각하고는 있네."

금적산이 웃으며 말했다.

"사실 자네들이 압도적인 무력으로 저 늙은이들을 해치웠더라면 어떻게든 끝까지 자네들을 지키고 도와줄 작정이었거든. 그런데 생각보다 자네들, 너무 약하더군."

금적산은 어깨를 으쓱거리며 말을 이었다.

"아무래도 내 수하들이 잘못 본 모양일세. 녀석들 말로는 천하제일을 다툴 정도의 무위를 지녔다고 했는데, 기껏해 봤자 저 늙은이들과 엇비슷한 수준이 아니냔 말이지."

"허어."

듣고 있는 늙은이들이 탄식했다.

금적산은 상관하지 않고 계속 말을 이었다.

"생각해 보게. 자네들이 내게 도움이 되지 않는데 굳이 내가 모든 걸 걸고, 전장과 내 목숨을 걸고 끝까지 자네들 편을 들 수는 없지 않겠나?"

강만리는 가만히 그의 눈을 들여다보았다. 그리고 지금 금적산이 농담이나 거짓말을 하는 게 아님을 알게 되었다. 절로 강만리의 입에서 거친 욕설이 튀어나왔다.

"개소리."

"음? 개소리라니? 무슨 그런 상스러운 말을."

금적산이 진지하게 말했다.

"뭐가 개소리라는 말이냐?"

"지금까지 당신이 했던 모든 말이 개소리이지만, 특히 세 가지는 확실히 개소리요."

강만리가 싸늘하게 말하자 금적산은 호기심이 생긴 듯 고개를 갸우뚱거리며 물었다.

"세 가지?"

"그렇소."

"어떤 세 가지인지 말해 줄 수 있겠나?"

"뭐, 그 정도 가르침을 내려 줄 수 있소. 그동안 우리에게 해 준 편의를 생각해서라도 말이오."

강만리의 이죽거리는 말에도 금적산은 태연한 표정을 유지한 채 고개를 끄덕였다.

"그렇지. 확실히 그 정도 편의는 봐줬지, 내가."

강만리가 서늘한 눈빛으로 금적산을 바라보며 입을 열었다.

"우선 하나는, 당신이 신의니 의기니 운운하는 게 개소리라는 것이오. 애당초 처음부터 그런 게 없었으니까. 단지 자신에게 이익이 되는가만을 따져서 행동하니까. 정확하게 말하면 당신은 신의나 의기 따위는 하나도 없는 아주 빌어먹을 돈벌레라는 말이오."

'옳은 소리!'

하마터면 천소유는 그렇게 소리를 칠 뻔했다. 그녀는 얼른 입을 다물고, 자신과 똑같은 생각을 한 강만리는 새삼스러운 눈빛으로 쳐다보았다.

"뭐, 그렇다고 볼 수 있겠네. 어디까지나 돈 앞에서 내 신의와 신념은 부수적인 것에 불과하니까."

돈벌레라는 모욕적인 말을 듣고서도 금적산은 전혀 타격을 입지 않은 듯 태연하게 물었다.

"그럼 두 번째 개소리는 뭔가?"

"두 번째 개소리는 나라와 백성을 위해서 금해가의 전장 사업을 막겠다고 한 말이오."

"응? 그건 진심인데?"

"개소리."

강만리는 코웃음을 치며 말했다.

"정확하게 말하자면 당신은 금해가가 대륙전장이 아닌, 하북전장(河北錢莊)이나 태평전장(太平錢莊) 같은 곳과 손을 잡고 연계하는 게 두려울 뿐이오. 다른 전장들이 금해가가 이뤄 낸 천하일통의 상권에 힘입어 대륙전장을 누르고 가장 큰 전장이 되는 걸 막기 위한 속셈을 숨기고 나라와 백성 운운했으니, 이 어찌 개소리가 아닐 수 있겠소?"

처음으로 금적산의 표정이 살짝 흔들렸다. 강만리의 말이 날카로운 비수가 되어 마음 깊은 곳을 찌른 듯, 금적산은 저도 모르게 이맛살을 찌푸렸다.

하지만 그는 이내 빙긋 웃으며 물었다.

"그럼 아예 내가 금해가와 손을 잡으면 되는 일이 아닌가?"

"개소리."

강만리가 또 비웃으며 말했다.

"당신이 금해가와 손을 잡을 리가 없잖소?"

"호오, 왜 그리 생각하지?"

"그야 당신이 비루하고 저열하고 염치없는 돈벌레이니까."

금적산의 얼굴이 딱딱하게 굳어졌다. 강만리는 거침없이 말을 이었다.

"사실 금해가는 굳이 대륙전장과 손을 잡지 않아도 되오. 전국적인 전장은 얼마든지 있으니까. 금해가가 손을 내밀면 얼마든지 허리를 굽히고 스스로 그 발밑으로 기어 들어올 이들이 수없이 많으니까."

금적산은 말없이 계속해서 일어지는 강만리의 말을 듣고 있었다.

"그런 상황에서 대륙전장이 금해가와 손을 잡으려면 현재보다 파격적으로 낮은 이자를 책정해야 할 것이고, 지금과는 달리 그들과의 관계 또한 갑을(甲乙)의 관계로 바뀌게 되어야 하오. 자존심은 자존심대로 망가지면서 금전적인 손해까지 본다? 과연 그걸 당신이 수긍하고 받아들일 수 있을까? 전혀 아니라고 생각하오. 그래서 당신은 금해가와 손을 잡지 못하오. 또 굳이 금해가도 그렇게 버티는 당신과 손을 잡으려 들지 않을 것이오."

금적산은 가만히 강만리를 노려보다가 길게 한숨을 쉬며 고개를 설레설레 흔들었다. 그리고 뭔가 말을 하려는 듯 몇 차례 입을 뻐끔거리다가 다시 고개를 흔들고는 빙긋 웃으며 말했다.

"그럼 세 번째 개소리는?"

강만리는 담담하게 말했다.

"우리가 저 늙은이들과 엇비슷한 무위를 지녔다는 게 세 번째 개소리요."

"허어."

듣고 있는 늙은이들이 어이가 없다는 듯이 탄식했다.

"또한 당신이 우리를 저 늙은이들에게 넘기도록 도와주겠다고 말한 것 역시 세 번째 개소리에 들어가오. 아, 당신의 수하가 누구인지는 모르겠지만 꼭 중용하기 바라오. 그의 사람 보는 눈은 틀리지 않았으니까."

금적산이 피식 웃으며 말했다.

"자네도 잘 알 걸세. 자네들의 시중을 들던 하인들 중 우두머리였으니까. 뭐, 그건 그렇고…… 그럼 자네들이

내가 생각했던 것보다 강하다는 것인가?"

강만리는 힘차게 고개를 끄덕이며 대답했다.

"그렇소. 우리는 당신이 생각한 것보다 훨씬 강하오. 저 늙은이들과 당신이 힘을 합쳐도 우리를 어찌할 수 없을 정도로 우리는 강하오. 진짜 강하오."

"하하하."

금적산이 짧게 웃었다.

"말로야 뭘 못하겠는가? 아무리 강하다고 말한들 그 실력을 보여 주지 않으면 결국 말장난에 불과할 뿐인데. 외려 자네의 그 말이야말로 개소리인 것 같은데?"

"실력으로 보여 주면 되잖소?"

강만리는 내공을 끌어올리며 말했다.

"거기 시녀들을 비키라 하시오. 자칫 크게 다칠지도 모르니."

"흥."

금적산이 코웃음을 쳤다.

"역시 잘 모르고 있군. 이 아이들의 진법은 외부에 대한 방어에만 국한된 게 아니네. 진법 안에 갇힌 자들에 대한 공격에도 탁월한 효능을 발휘하거든."

이미 원진 밖으로 빠져나와 있던 금적산은 다시 몸을 돌려 천소유를 바라보며 물었다.

"어떤가? 내 제안을 받아들일 텐가?"

천소유는 눈살을 찌푸리며 망설였다.

'굳이 받아들일 필요가 있을까? 하지만 받아들이지 않을 이유도 없을 것 같은데.'

금해가가 전장 업계에 진출하지 못하게 해 달라는 조건은 확실히 천소유가 쉽게 받아들이기에는 벅찬 제안이었다.

우선 금해가가 그런 생각을 하고 있을지도 모르고, 오대가문의 서명이 적힌 각서나 태극천맹의 보증을 받아 내는 것도 무리에 가까운 일이었다.

아무리 천소유가 비선의 선주이고 건곤가의 여식이라 하더라도 함부로 결정할 일이 아니었다. 그렇다고 금적산처럼 한 번 내뱉은 말을 이리 뒤집고 저리 뒤집을 수도 없었다.

그렇게 천소유가 망설이는 모습을 본 능운추풍이 한마디 거들고 나섰다.

"굳이 오대가문의 각서나 태극천맹의 보증을 받을 필요 없이 금해가 측으로부터 절대 전장 업계로 진출하지 않겠다는 각서를 받으면 되는 것 아니오?"

금적산은 잠시 생각하다가 고개를 끄덕였다.

"그렇군. 그게 가장 간단한 방법이기는 하지."

그 말에 금해가의 천호대군이 입을 열었다.

"내가 가주를 설득해 보겠소."

고목대사도 말했다.

"나 역시 백팔숙객의 이름으로 가주께 진언해 드리리다."

능운추풍이 천소유를 돌아보며 말했다.

"저자들을 잡을 수만 있다면 초 방주께서도 능히 허락하고 받아들이실 거라고 생각하오."

천소유는 잠시 생각하다가 고개를 끄덕였다.

"좋아요. 만약 저들을 사로잡아서 우리에게 건네준다면 무슨 일이 있더라도 금해가의 각서를 받아 주겠어요."

"좋아."

금적산은 시녀들에게 말했다.

"모두 해치워라. 아, 죽이지는 말고."

일순 시녀들이 몸을 틀었다. 열두 명의 시녀는 이제 강만리와 담우천들을 에워싼 채 천천히 춤을 추듯 흐느적거리며 이동하기 시작했다.

십이천녀귀혼진이 발동되었다.

열두 명의 시녀가 일순 스물네 명, 서른여섯 명으로 늘어나는 듯 보였다. 넉넉하게 벌려져 있던 공간으로 그 환영(幻影)들이 빼곡하게 들어섰다.

강만리는 혀를 찼다.

"정말 다칠 텐데."

그의 장삼이 금방이라도 터질 것처럼 크게 부풀어 올랐다. 두 주먹에 실린 막대한 내공을 감당할 수가 없었던 것이다.

강만리의 말을 들은 금적산이 코웃음을 치며 말했다.

"자네에게 공적십이나 군림십왕 정도의 무위가 없다면 결코 그 진법에서 헤어나지 못할 게다."

강만리는 두 발을 넓게 벌려 마보(馬步)를 취하며 허리를 낮췄다. 중심을 단단하게 고정하고 지면을 굳건히 밟은 채 그는 무심한 눈으로 십이천녀귀혼진을 지켜보았다.

십이천녀귀혼진이 어떤 묘용을 지녔는지는 알 수 없었다. 강만리가 아는 건 오직 하나, 저 원진은 그 어떤 공격도 반사하듯 튕겨 낼 수 있다는 것뿐이었다.

'과연 그럴까?'

강만리는 내심 그렇게 중얼거리면서 십이천녀귀혼진을 향해 십성 내력이 실린 두 손을 뻗었다.

일순 그의 두 손이 황금빛 광채로 물들었다.

3. 파상공세(波狀攻勢)

노기인들의 눈이 화등잔만 하게 커졌다.

"저건?"

"설마……!"

강만리의 두 손을 물들이고 있는 황금빛 광채를 본 순간 그들은 직감적으로, 반사적으로 한 명의 거물을 떠올렸다.

거대한 두 마리 황룡(黃龍)과도 같은 강기를 뿜어내며 백도의 뭇 고수들을 처참하게 쓰러뜨렸던 불세출(不世出)의 거마(巨魔), 금강철마존(金剛鐵魔尊).

공적십이마 중 한 명이자, 지난 백 년 이래 최강자로 군림했던 초절정의 고수.

이른바 심벽(心壁) 그 이상의 경지라 할 수 있는 생사록(生死熇), 혹은 조화연(調和衍)의 경지에 올랐다고 인정받은 자.

노기인들은 강만리의 두 손을 보며 지난날 금강철마존을 제외하고 그 어떤 이가, 어떤 문파의 무공이 저렇게 황금빛 광채를 일렁이게 하는지 떠올렸다.

그러나 단 한 명도, 단 한 문파도 기억나지 않았다. 그러니 분명 저 멧돼지 같은 자가 펼치고자 하는 무공은 금강철마존의 절기임이 분명하리라.

멸절사태가 부르짖듯 소리쳤다.

"설마 금강철마존의 진전을 이어받은 게냐!"

능운추풍도 믿을 수 없다는 듯이 외쳤다.

"네놈이 금강철마존의 전인(傳人)이었더냐!"

강만리는 아무 대꾸 없이 황금빛으로 물든 두 손에 모

인 진기를 정면으로 발출했다. 그의 손바닥에서 은은한 황금빛을 머금은 강기가 거대한 장강의 물줄기처럼 뻗어 나갔다.

거친 소리도 없었다. 강렬한 파열음이나 진동도 없었다. 황금빛 강기는 도도하고 유장한 흐름을 타고 십이천녀귀혼진을 향해 부딪쳐 갔다.

"금강류하(金剛流河)!"

노기인들 중 누군가가 경악에 물든 목소리로 부르짖었다. 그 순간, 황금빛 강기가 눈에 보이지도 않을 정도로 빠르게 회전하고 있던 원진을 강타했다.

콰아앙!

바로 옆자리에 천둥이 내리꽂히는 듯한 굉음이 터졌다. 그 엄청난 충격을 버티지 못한 열두 명의 시녀들이 사방으로 날아가 떨어졌다.

금적산은 그 여파에 휩싸여 삼사 장이나 뒤로 밀려났다. 그 와중에 황급히 몸을 피하지 않았더라면, 하마터면 날아든 시녀에게 부딪혀 크게 다칠 뻔했다.

영웅건으로 단정하게 묶었던 그의 머리는 산발이 되어 있었다. 비단 옷자락은 군데군데 구멍이 뚫리고 찢어졌다. 마치 커다란 폭발 속에서 살아남은 자의 모습 같았다.

강만리는 아무도 모르게 호흡을 가다듬으며 미친 듯이

역류하려는 기를 애써 가라앉혔다.

아직 수련이 부족하고 내공이 약했다. 사람들이 금강류
하라고 부르는 이 황금빛 강기를 완성하려면 최소한 십
년 이상의 수련과 일 갑자 이상의 내공이 더 필요할 것
같았다.

강만리는 내심 혀를 내둘렀다.

'도대체 그 금강철마존이라는 자는 얼마나 강했던 걸까?'

새삼스레 그런 생각이 드는 순간이었다.

강만리는 내색을 감추고 오연한 눈빛으로 금적산을 바
라보면서 입을 열었다.

"어떻소? 당신이 생각했던 것보다 훨씬 강하지 않소?"

그렇게 말을 하는 동안에도 피가 넘어올 것만 같았다.
강만리는 남모르게 호흡을 안정하고 내기를 다스리며 내
심 중얼거렸다.

'역시 무리였어.'

무리인 줄 알았다. 하지만 무리인 줄 알면서도 반드시
펼쳐야 했다. 상대의 기세를 꺾기 위해서라도, 이번 싸움
의 주도권을 잡기 위해서라도, 그리고 스스로 적이 되려
하는 금적산의 마음을 돌려놓기 위해서라도 강만리는 어
쩔 수 없이 무리해야만 했다.

사실 모든 내공을 한껏 끌어올려서 펼친 이 일격으로
인해 지금 강만리의 단전은 텅 비어 있었다.

만약 추격대 고수들 중 누군가가 그를 향해 순간의 틈을 노리고 기습을 펼쳤다면 강만리는 한 걸음도 움직이지 못한 채 목숨을 잃었을 것이다.

다시 내공이 단전을 채울 때까지 강만리는 시간을 벌어야 했다. 그래서였다. 굳이 이렇게 쓸데없는 말을 주절주절 늘어놓고 있는 것은.

"당신의 마음이 흔들리는 게 눈에 선명하게 보이오. 이번에는 저들과의 약속을 저버릴지 궁금하오."

강만리의 말에 금적산은 헛기침을 하더니 머쓱한 표정으로 투덜거렸다.

"선녀곡주(仙女谷主)가 내게 사기를 쳤군그래. 세상 그 어떤 무공도 다 튕겨 낸다더니, 단 일 초도 버티지 못할 줄이야. 겨우 이따위 진법을 배우기 위해서 수만 금이나 써야 했다니……."

물론 말은 그런 식으로 하고 있지만 십이천녀귀혼진이 절대 하찮은 진법이 아니라는 건 누구보다도 금적산 본인이 잘 알고 있었다.

조금 전 고목대사의 고목와선탄을 가볍게 튕겨 낸 것만 보더라도 진법의 위용은 충분히 알 수 있었다.

'이럴 줄 알았으면 먼저 공격을 해야 했는데……. 젠장! 공격 한 번 할 기회조차 없게 될 줄 누가 알았느냔 말이지!'

금적산은 속으로 투덜거렸다.

기실 십이천녀귀혼진의 위용은 방어가 아니라 공격에 있었다. 열두 시녀의 합일(合一)된 내공을, 원진의 원심력을 통해 극대화하여 펼치는 강력하고도 변화무쌍한 공격. 그 공격이야말로 진법에 갇힌 상대의 혼을 빼앗는 절정의 수법이었던 것이다.

금적산이 그렇게 안타까워할 때였다. 뒤에 물러나 있던 멸절사태가 노기인들을 헤치고 앞으로 걸어 나오더니, 매서운 눈빛으로 강만리를 쏘아보며 물었다.

"네놈, 금강철마존의 전인이더냐?"

강만리는 대꾸 없이 금적산을 바라보며 재차 물었다.

"어떻소? 우리와 다시 협상하지 않겠소?"

"허험!"

금적산은 크게 기침을 했다. 곤란하고 난감한 상황이었다. 하지만 그는 곧 턱을 내밀며 오만하게 말했다.

"어찌 사내 입으로 두 마디를 하겠느냐? 여전히 나는 자네들을 사로잡아 건네줄 작정이다."

"무슨 수로?"

강만리가 일부러 한 걸음 앞으로 걸어 나갔다. 금적산이 움찔거리며 뒤로 물러날 때였다.

"왜 대답을 하지 않는 게냐!"

멸절사태가 노한 듯 크게 소리치며 강만리를 향해 일장

을 휘갈겼다. 서슬 퍼런 기세의 장력이 강만리의 가슴을
향해 짓쳐들어왔다.

'헉!'

강만리가 저도 모르게 헛바람을 집어삼키는 순간, 장예
추가 칼을 휘둘렀다. 제왕검해의 묘리가 담긴 칼의 움직
임이 멸절사태의 장력을 비스듬하게 걷어 냈다.

그녀의 장력은 강만리를 크게 벗어나 담장에 부딪쳤
고, 꽝음과 함께 담장이 우르르 무너졌다.

멸절사태의 눈빛이 샛노랗게 빛났다.

"네놈은!"

그녀는 장예추를 노려보며 물었다.

"그 도법(刀法), 남궁세가의 것이더냐?"

장예추는 살짝 놀랐다.

지금까지 장예추는 제왕검해의 묘리를 운용하여 제법
많은 고수들과 상대해 왔지만, 그걸 알아본 사람은 멸절
사태가 처음이었다.

'군림십왕과 비견된다더니…….'

장예추는 묵묵부답, 가만히 멸절사태를 바라보았다.

강만리에 이어 장예추도 대답을 하지 않자, 멸절사태는
더욱 화가 치밀어 오르는 듯했다. 그녀는 "흥!" 하고 코
웃음을 치고는 곧바로 지면을 박찼다.

스팟! 하는 소리와 함께 멸절사태의 신형이 허공을 갈

랐다. 순식간에 금적산의 곁을 지나쳐 강만리의 앞으로 날아든 그녀는 선장을 칼처럼 휘두르며 그의 어깨를 후려쳤다. 동시에 장예추가 앞으로 나서며 칼을 들어 선장을 밀어냈다.

"그럴 줄 알았다!"

멸절사태의 신형이 팽이처럼 휘돌면서 순간적으로 장예추의 뒤로 돌아섰다. 그녀의 왼손이 장예추의 명문혈을 가격하는 순간, 이번에는 장예추의 신형이 거짓말처럼 사라졌다.

은형환무(隱形幻霧)!

"어디서 다 눈속임만 배워들 왔구나!"

멸절사태는 소리치며 불광도천(佛光滔天)의 초식으로 선장을 휘둘렀다. 그녀의 주변이 삽시간에 선장의 그림자로 가득 에워싸였다.

은형환무의 보법을 이용하여 멸절사태의 등 뒤로 달라붙던 장예추는 황급히 뒤로 물러났다. 하마터면 그 선장의 살기 가득 담긴 예기에 가슴팍이 베일 뻔했던 것이다.

그렇게 장예추를 물러나게 한 멸절사태 또한 표정이 그리 밝지 못했다. 몇 차례 손속을 나누면서 방위(方位)를 밟다 보니 그녀는 어느새 적들의 한복판에 서 있었다.

지금 멸절사태의 좌측으로는 강만리가 있었고, 우측으로는 장예추가 서 있었다. 뒤로는 담우천과 나찰염요가 있었고, 앞으로는 유 노대가 있는 것이 마치 그들에게 포위된 것만 같은 형국이었다.

다른 노기인들도 그리 느꼈던 것일까.

"위험하오!"

"위험하오!"

홍염철검과 운룡신창이 동시에 소리치며 몸을 날렸다. 그것을 신호로 다른 노기인들 또한 더없이 빠른 속도로 강만리들에게 덤벼들었다.

진악패도의 칼이 가공할 기세를 담은 채 장예추의 목을 베었다. 동시에 신안천리의 다섯 손가락에서 섬전과도 같은 지풍이 뻗어 나갔다.

능운추풍의 장력이 허공을 가르는 가운데 칠절우사의 검이 담우천의 심장을 향해 일직선으로 뻗어 갔다. 홍염철검의 검은 유 노대를 향했고, 운룡신창의 창은 나찰염요의 복부를 노리고 파고들었다.

멸절사태도 가만히 있지 않았다. 그녀는 강만리와 장예추를 버리고 곧장 담우천을 향해 쏘아 가며 선장을 휘둘렀다. 아미파의 불광항마창법(佛光降魔槍法)이 그녀의 선장을 통해 그 위력을 떨쳤다.

태풍이 휘몰아치고 번개가 작렬했다. 천둥소리가 연달아 울려 퍼졌다. 사방에서 번쩍거리는 섬광과 요란한 파공성에 눈이 멀고 귀청이 떨어져 나갈 것만 같았다.

그렇게 마구잡이로 공격을 퍼부으면서도, 믿을 수 없게도 노기인들은 오랜 시간 동안 함께 손발을 맞춘 것처럼 서로의 합(合)이 절묘하게 어우러지고 있었다.

무기가 한데 뒤엉키거나 동료의 움직임에 의해 방해를 받거나 공격을 펼치지 못하는 상황은 일어나지 않았다.

노기인들의 연륜과 무위를 보여 주듯, 그야말로 미리 약속이라도 한 듯 완벽하게 짜인 합공(合攻)이었다.

"저 파상공세(波狀攻勢)를 버틴다면 다시 생각해 볼 여지가 있겠군."

어느새 내당 안쪽까지 도망치듯 물러나 있던 금적산이 느긋하게 뒷짐을 진 채 그렇게 중얼거렸다.

무려 일곱 명의 노기인들이었다. 천하에 그 명성 자자하고 쌓아 올린 전과(戰果)가 태산 같은 이들이었다.

그들 일곱 명이 체면과 자존심을 버리고 서로 힘을 합쳐 공격을 펼치고 있었다. 아무리 강만리들이 날고 기는 재주가 있다 하더라도 결코 버틸 수 없을 것이다.

금적산은 그렇게 예상했다. 그리고 자신의 예상이 맞을 거라고 확신했다.

하지만 상황은 그의 예상대로 흘러가지 않았다.

졸지에 멸절사태를 필두로 세 명의 노기인에게 협공을 당하게 된 담우천은 한 점 흔들림 없는 표정으로 검을 휘둘렀다.

단 한 번의 칼질이었으나 세 번의 움직임이 연속적으로 이뤄지며 좌우와 정면에서 덮쳐드는 노기인들을 동시에 상대했다.

　챙강!

　멸절사태의 선장과 검이 부딪치며 파열음과 함께 불똥이 튀었다. 칠절우사의 검이 담우천의 검에 부딪치는 순간 두 동강이 났다. 능운추풍의 장력은 허공 속에서 허무하게 자취를 감췄다.

　담우천이 검을 휘두르는 것과 동시에 벌어진 일이었다.

　장예추는 제 목을 후려치는 진악패도의 칼을 막지 않았다. 외려 그는 한 걸음 앞으로 내디디며 진악패도의 가슴을 꿰뚫었다.

　장예추의 칼은 먼저 칼을 휘두른 진악패도보다 더 빠르게 그의 가슴을 향해 날아들었다. 진악패도는 깜짝 놀라 칼을 거두고 몸을 피했다. 그의 옷자락에 구멍이 뚫렸다. 등골을 타고 소름이 돋는 순간이었다.

　강만리는 자신을 향해 덮쳐들 듯 날아오는 다섯 개의 지풍을 노려보았다. 언뜻 보면 전혀 피할 생각이 없는 듯했다. 지풍을 날린 신안천리가 버럭 소리쳤다.

　"날 무시하는 게냐!"

　강만리는 전혀 신경 쓰지 않았다.

'조금만 더.'

아직 부족하다.

약간의 시간, 찰나의 시간이 더 필요했다. 다시 그 금강류하라는 강기를 펼쳐 내기 위해서는.

강만리는 이를 악문 채 바로 코앞으로 짓쳐들어오는 다섯 가닥의 지풍을 지켜보고 있었다.

3장.
악연(惡緣)

"네놈…… 끝까지 살아남아라."

1. 숨겨 둔 패(牌)

천 리 밖 물건을 볼 수 있을 정도로 뛰어난 시력을 지
니고 있다고 해서 신안천리라는 별호가 붙었다.

하지만 단지 그 능력 하나뿐이었다면 그는 절대 원로회
의 일원이 될 수 없었다. 원로회는 태극천맹에서 심혈을
기울여 섭외하고 초빙한 무림의 노기인들이었다. 개개인
의 능력이 대부분 최소한 구파일방의 장문인 이상의 무
위를 지닌 전대의 기인들이었다.

사실 신안천리가 원로회의 일원이 될 수 있었던 건 그
의 지풍(指風)에 있었다.

그는 다섯 가닥의 지풍을 한꺼번에 발출할 수 있었으

며, 각 지풍마다 서로 다른 내력을 주입하여 속도를 변화 시킬 수 있는 능력도 지녔다.

아무리 강호에 기인이사들이 모래알처럼 많다고는 하지만, 신안천리 정도로 지풍의 수위를 끌어올린 이는 없다고 해도 과언이 아니었다.

그 신안천리가 전력을 다해 펼친, 이른바 오행지탄(五行指彈)이라 불리는 다섯 가닥의 지풍은 정확하게 강만리의 전신에 꽂혔다.

탕탕탕탕탕!

쇠와 쇠가 부딪치는 듯 요란한 소리가 울려 퍼졌다. 강만리는 자신의 앞을 가로막으며 다섯 개의 지풍을 연달아 쳐 낸 칼 한 자루를 볼 수 있었다.

장예추의 칼이었다.

단 한 번의 칼질로 진악패도를 물러나게 만든 장예추는 곧바로 강만리를 향해 신형을 날렸고, 반사적으로 칼을 휘둘러 때마침 날아든 오행지탄을 모조리 쳐 낸 것이다.

"고맙다, 아우!"

강만리는 크게 소리치며 쌍장을 앞으로 내뻗었다.

콰콰콰!

마치 한껏 막혀 있었던 봇물이 한꺼번에 터지는 듯한 굉음이 일었다. 동시에 방금 단전 가득 차올랐던 막강한 내공이 가공할 기세로 신안천리를 향해 휘몰아쳐 갔다.

'됐다!'

자신의 오행지탄이 바로 코앞까지 짓쳐 드는데도 강만리가 꼼짝하지 못하는 모습에 신안천리는 속으로 쾌재를 불렀다.

그러나 다음 순간, 영문도 모른 채 그의 오행지탄이 튕겨 나갔고, 동시에 황금빛 광채가 신안천리를 뒤덮고 있었다.

피할 시간이 없었다. 쾌재를 올리는 바로 그 짧은 순간의 방심, 머뭇거림이 그의 발길을 붙잡은 것이다.

그는 이를 악문 채 한껏 호신강기를 끌어올리며 그 불길처럼 쏟아지는 강기로부터 몸을 보호하려 했다.

콰앙!

강만리의 강기가 신안천리를 가격하는 순간, 천지가 무너지는 듯한 격렬한 타격음이 일었다. 동시에 그 충격을 감당하지 못한 신안천리는 오륙 장이나 허공을 날아 떨어졌다.

"연 형!"

후방에서 대기하고 있던 동료 노기인들이 부르짖으며 그에게로 달려가 상태를 확인했다.

천만다행이었다.

그 다급한 와중에 두 팔을 들어 가슴을 보호한 덕분인지, 신안천리는 아직 목숨을 부지하고 있었다.

다만 두 팔의 뼈는 산산조각 부서져서 흐늘흐늘해진 상황이었고, 열린 입을 통해 쉴 새 없이 검붉은 피를 토하는 게 아무래도 치명상에 가까운 중상을 입은 모양이었다.

동료들은 얼른 그에게 내상약을 먹이고 진기를 주입하기 시작했다.

그러는 동안에도 싸움은 계속, 아니 더 치열하게 전개되고 있었다.

드디어 부상자가 생긴 것이다. 조금 전까지는 서로를 견제하고 상대의 실력을 가늠하는 식의 싸움이었다면 지금은 달랐다. 동료가 피를 토하고 나가떨어지는 걸 본 노기인들의 눈에서 불똥이 튀기 시작했다.

그들뿐만이 아니었다.

한꺼번에 우르르 몰려가 숫자의 힘으로 이기는 건 체면 상하는 일이라고 생각해서 뒤로 물러나 있던 추격대의 모든 고수들까지 일제히 전장에 뛰어들었다.

고목대사를 비롯한 최고 서열의 숙객들이, 천호대군을 비롯한 금해가 절정의 고수들이, 그리고 태극천맹 지부주들과 동료들이 저마다의 절기를 펼치며 강만리 일행을 공격했다.

콰쾅! 우르르!

천둥이 치고 번개가 내리꽂혔다. 수십 명의 초절정 고수들이 일제히 전력을 쏟아부은 것이다. 강만리 일행이 모여 있던 사방 십여 장 공간이 삽시간에 풍비박산이 나고 말았다.

일 갑자가 훨씬 넘는 내공의 고수 수십 명이 한꺼번에 내뿜은 장력에 거대한 구덩이가 파였다. 뭉게구름처럼 피어오른 흙먼지가 시야를 가렸다.

천소유는 눈살을 찌푸렸다.

먼지와 흙이 비산하면서 한 치 앞이 보이지 않는 가운데, 여전히 그 안에서는 격렬한 전투의 소리들이 요란하게 울려 퍼지고 있었다.

고함과 비명, 장풍과 지풍이 폭발하는 굉음, 병장기 부딪치는 소리가 소나기처럼 쏟아져 내렸다.

초조하고 궁금하고 불안했다.

설마 이십여 명의 초절정 고수가 겨우 다섯 명을 상대로 패할 리는 없을 테지만, 그래도 이렇게 전혀 앞을 볼 수 없게 되는 상황에 이르자 정체를 알 수 없는 불안감이 먹구름처럼 그녀를 덮쳤다.

'침착하자.'

천소유는 그렇게 마음을 가다듬으며 지금 자신이 할 수 있는, 자신만이 할 수 있는 일을 생각하려 애썼다. 싸움의 전면이 아닌, 이렇게 후방에 물러나 있는 그녀만이 할 수 있는 일.

그녀의 머리가 빠르게 회전했다. 전면의 싸움에 집중하

느라 놓치고 있던 것들이 하나둘씩 떠오르기 시작했다.

어느새 냉정한 얼굴을 되찾은 천소유는 황급히 시선을 돌렸다. 동시에 그녀의 눈빛이 살짝 일그러졌다.

조금 전 전장에서 이탈하여 멀리 물러나 있던 금적산, 그의 모습이 보이지 않는 것이다. 더불어 사방으로 나가 떨어져 있던 시녀들의 모습도 온데간데없이 사라졌다.

'도망쳤구나!'

천소유는 입술을 깨물었다.

그를 놓쳐서는 안 된다. 설령 그는 죽일 수 없다 하더라도, 두 번 다시 태극천맹과 오대가문에 반기를 들지 못하도록 조치를 취해야 했다.

"금적산을 데리고 오세요."

그녀는 자신의 그림자들에게 지시를 내렸다. 서너 개의 그림자가 그녀의 곁을 떠났다.

천소유는 계속해서 명령을 내렸다.

"장예추에게 다른 일행이 더 있을 겁니다. 극독에 당한 자, 소년, 그리고 노인 한 명의 모습이 보이지 않아요. 그들을 찾아오세요."

다시 서너 개의 그림자가 소리 없이 흔적을 감췄다.

천소유는 아직 남아 있는 일이 있을까 머리를 굴리면서 다시 시선을 정면으로 향했다.

흙먼지 속의 전투는 치열하게 전개되었다.

상처 입고 굶주린 호랑이와 사자, 불곰들이 좁은 우리 안에 갇힌 채 마구 날뛰는 것 같았다.

권각술과 도검술에 자신이 있는 고수들은 근접 거리에서 강만리 일행과 싸우는 중이었고, 장력과 지풍에 일가견이 있는 고수들은 조금 거리를 둔 채 강만리들의 빈틈을 향해 마구 강기를 쏟아부었다.

그럼에도 불구하고 강만리 일행은 외려 더 편한 모습으로 저들을 상대하고 있었다.

일곱 명의 노기인들이 공격해 왔을 때는, 오랜 시간 동안 손발을 맞춘 것처럼 공수의 연환이 무리 없이 자연스럽게 이어지는 바람에 강만리들이 쉽게 그들을 어찌해볼 수가 없었다.

강만리가 내공을 한계까지 끌어올려서 신안천리를 일격에 무너뜨렸기에 망정이지, 그렇지 않았다면 꽤 곤욕스러운 상황이 연출될 뻔했다.

그러나 지금은 상황이 달랐다. 비록 수십 명의 고수가 합세하여 공격을 퍼붓고는 있지만 그들의 움직임은 전혀 체계적이지 않았다.

강만리들과 근접해서 싸우는 고수들은 갑자기 자신의 등 뒤로 날아드는 장력과 지풍에 놀라 흠칫하면서 몸을 피하기 일쑤였다.

또한 강만리들을 공격하는 아군의 검과 칼이 허공에서

부딪칠 뻔한 경우도 왕왕 있었다. 그건 워낙 좁은 공간에서 많은 사람들이 치열하게 살수를 퍼붓다 보니 어쩔 수 없이 생기는 불상사였다.

하지만 그렇다고 해서 강만리들의 상황이 좋아진 건 아니었다. 여전히 그들은 숫적 열세에서 벗어나지 못하고 있었다.

강만리는 내공이 차오를 때까지 장예추의 뒤에 숨듯이 서 있어야 했고, 설벽린은 유 노대의 보호를 받으며 도망치기에 급급했다.

오로지 담우천과 나찰염요만이 아무 부담감 없는 상황에서 추격대 고수들과 싸우고 있었는데, 그들의 상대는 멸절사태를 비롯한 원로회 노기인들과 고목대사 등 강호의 쟁쟁한 절정 고수들이었다. 아무리 담우천이라 할지라도 쉽게 승기를 잡을 수 없는 게 당연한 일이었다.

'조금 전 강기는 미련 없이 버려야겠다.'

강만리는 단전에 내공이 차기를 기다리면서 내심 그렇게 중얼거렸다.

파괴력으로만 따지자면 강만리가 펼칠 수 있는 그 어떤 무공보다 강한 강기였다. 운룡신창이나 홍염철검과 엇비슷한 수준의 신안천리 연진남을 단 일격에 중태에 빠뜨릴 정도였으니까.

하지만 문제는 한 발 때린 이후 다시 한 발을 장전할

때까지의 시간이 너무 걸린다는 점이었다. 아무리 강력할지라도 일대 다수의 싸움에서는 전혀 불필요한 무공이었다.

강만리는 싸움의 추이를 지켜보는 한편 빠르게 머리를 굴렸다.

'이대로라면 필패(必敗)다. 뭔가 분위기를 전환할 것이 필요하다.'

놈들을 모두 물리칠 필요도 없었다. 놈들과 싸워서 반드시 이겨야 할 의무도 없었다. 중요한 건 이곳을 무사히 빠져나가 만해거사들과 합류하여 탈출하는 것이다. 물론 저들의 추격도 따돌리면서.

그러기 위해서는 저들의 발을 묶을 무언가가 필요했다. 비장의 한 수, 숨겨 둔 패(牌)가 필요했다. 가령 저기 홀로 떨어져 있는 계집을 생포하여 인질로 삼는다든가 하는…….

강만리의 눈빛이 반짝였다. 그는 천소유에게서 눈을 떼지 않은 채 소리 낮춰 말했다.

"아직 힘이 남아 있나?"

자기에게 한 질문임을 알아차린 듯, 장예추는 쉴 새 없이 이어지는 적들의 검과 칼을 제왕검해의 수법으로 파훼하면서 대꾸했다.

"물론이죠."

"좋아."

강만리는 말했다.

"내 말이 끝나는 직후부터 열을 세자. 열을 헤아리는 즉시, 내가 네 앞으로 나서서 저들을 상대하마. 너는 곧 장 놈들의 머리 위를 날아서 저 계집을 사로잡아라."

일순 장예추는 저도 모르게 몸이 경직되었다. 그 바람에 하마터면 태극천맹 고수가 내지르는 검에 가슴이 찔릴 뻔했다.

장예추는 황급히 취몽보의 보법을 밟으며 위기를 넘기고는 입을 열었다.

"저 여인을 인질 삼아 협박하시게요?"

'저 여인?'

강만리는 다급한 와중에도 장예추의 어조에서 이상함을 느꼈다. 하지만 강만리는 개의치 않고 말했다.

"그래. 그게 지금 우리가 도망칠 수 있는 유일한 방법 같다."

"음."

장예추의 얼굴이 굳어졌다.

그가 다급하게 머리를 굴려 봐도 확실히 그 방법밖에는 없었다. 천소유를 포획하여 인질로 삼는 것.

'아아, 어디까지 악연이 계속될까?'

저도 모르게 장예추의 뇌리에 떠오르는 의문이었다.

"다섯, 여섯."

장예추가 그런 번민에 빠져 있는 동안 강만리가 헤아리는 숫자는 어느새 여섯에 이르렀다. 장예추는 퍼뜩 정신을 차렸다. 그러고는 입술을 굳게 깨물고 결의를 가다듬었다.

그랬다. 지금은 탈출이 급선무였다.

"아홉, 열."

강만리가 열을 헤아렸다. 동시에 그는 앞으로 달려 나오며 쌍장을 휘둘렀다. 동시에 그는 맹수처럼 울부짖었다.

"금강류하!"

그의 쩌렁쩌렁한 외침에 추격대 고수들이 깜짝 놀라며 뒤로 물러나고 옆으로 몸을 피했다. 금강류하의 무서움은 견식한 바가 있었다. 또한 그 무시무시한 무공의 단점도 이미 봐서 잘 알고 있었다.

한 번만 잘 피하면 된다. 그 이후에는 일격에 모든 내공을 쏟아부은 놈의 최후를 볼 수 있을 것이다.

추격대 고수들은 그렇게 생각하며 강만리의 일장에 맞서기를 포기하고 좌우로 몸을 피했다.

바로 그 순간이었다. 반으로 갈라진 물결 사이를 꿰뚫고 장예추의 신형이 물 찬 제비처럼 허공을 날아들어 천소유에게 쏘아 간 것은.

2. 유언(遺言)

한순간 상황은 급박하게 전개되었다. 모든 게 그 한순간에 이뤄지고 바뀌고 말았다.

나찰염요의 채찍이 허공을 가르는 순간, 좌우 양쪽에서 홍염철검의 검과 운룡신창의 창이 동시에 그녀의 옆구리와 어깨를 찔러 왔다.

나찰염요는 피할 수 없었다. 정면에는 칠절우사가 버티고 있었고, 후위에는 태극천맹 호광성의 단주가 그녀의 퇴로를 차단하고 있었다.

'쳇!'

그녀는 입술을 깨물며 허공으로 솟구쳐 올랐다. 바로 그때였다.

"그럴 줄 알았다!"

창노한 목소리와 함께 한 자루 검이 그녀의 가슴을 노리고 날아들었다. 나찰염요가 몸을 솟구치기 직전에 검을 날린 듯, 어느새 검은 그녀의 가슴팍까지 짓쳐들어왔다.

나찰염요는 황급히 허공에서 힘껏 몸을 비틀었다. 온몸의 근육이 갈기갈기 찢겨 나가는 듯했다. 동시에 어깨를 인두로 지진 듯한 통증이 솟구쳤다. 살이 갈라지고 피가 사방으로 튀었다.

그녀의 팔을 긋고 스쳐 지나간 검은 다시 허공에서 한 바퀴 선회하더니 제 주인에게로 돌아갔다.

'청성파의 회검술(廻劍術)이구나!'

나찰염요가 이를 악문 채 허공에서 재차 도약하려 했지만, 곧바로 날아드는 창과 검이 그녀의 움직임을 봉쇄했다.

"이제 끝이다!"

운룡신창이 크게 소리치며 창을 내질렀다. 동시에 홍염철검도 훌쩍 허공으로 몸을 날려 나찰염요의 목을 찔러왔다. 실로 빠르고 날카로우며 강렬한 협공(挾攻)이었다. 순간, 나찰염요의 뇌리에 죽음이라는 단어가 떠올랐다.

바로 그때였다.

"컥."

목에 걸린 듯한 신음이 터져 나왔다. 나찰염요는 반사적으로 그 신음이 흘러나온 곳으로 신형을 날렸다. 창을 내지르던 운룡신창이 제 목을 감싸 쥔 채 비틀거리며 뒤로 물러나고 있었다.

나찰염요는 허공에서 내려서며 그대로 운룡신창의 목을 걷어찼다.

우직!

뼈가 부러지는 소리와 함께 운룡신창의 목이 한쪽으로 꺾어졌다. 운룡신창은 그대로 옆으로 고꾸라졌고, 뒤이어 떨어진 창이 바닥에 뒹구는 소리가 났다.

"이, 이런!"

홍염철검의 얼굴이 시뻘겋게 달아올랐다. 그는 수비를 도외시한 채 나찰염요를 향해 마구잡이로 덤벼들었다. 그의 기세가 얼마나 흉흉한지 나찰염요는 감히 그와 맞부딪힐 생각을 하지 못하고 황급히 옆으로 몸을 피했다.

그 순간, "헉!" 하는 소리와 함께 홍염철검의 눈이 커졌다. 그는 금방이라도 튀어나올 정도로 커진 눈으로 아랫배를 내려다보았다. 등을 관통한 검날이 배를 뚫고 삐쭉 튀어나와 있었다.

홍염철검은 천천히 뒤를 돌아보려 했다. 하지만 그럴 수가 없었다. 나찰염요의 채찍이 뱀처럼 허공을 가르며 날아들더니 그대로 홍염철검의 목을 휘감아 내팽개친 것이다.

우두둑!

홍염철검의 목이 무 뽑히듯 몸에서 떨어져 나갔다.

"다친 곳은?"

검기를 날려 운룡신창의 목을 찌르고 환섬신루의 수법으로 홍염철검의 등 뒤로 돌아가 검을 찌른 담우천은 빠르게 나찰염요에게 다가서며 물었다.

"큰 부상은 아니에요. 당신이 더 다친 것 같은데요?"

나찰염요는 담우천의 핏물이 뚝뚝 떨어지는 어깨를 보

며 울상을 지었다.

"별것 아니다."

담우천은 담담하게 말했다.

확실히 멸절사태와 고목대사와 싸우던 도중 나찰염요
의 위험한 상황을 보고 다급하게 몸을 빼내다가 입은 부
상치고는 별거 아니기는 했다.

천천히 돌아서는 담우천의 눈에서 샛노란빛의 살기가
번들거렸다. 그는 순식간에 목숨을 잃은 두 노기인을 보
고 충격에 빠진 추격대 고수들을 돌아보며 천천히 입을
열었다.

"단 한 명도 살아서 돌아갈 생각은 하지 마라."

광오(狂傲)했다.

미친 게 아닌가 할 정도로 오만하고 거만한 이야기였
다. 상대는 어디까지나 초절정의 고수들, 그런 상대들을
두고 모조리 죽이겠다고 하다니. 오직 미친 자만이 내뱉
을 수 있는 말이었다.

하지만 그를 에워싼 추격대 고수들은 비웃지 않았다.
그들은 진지하고 침중한 표정으로 담우천과 나찰염요를
천천히 에워쌌다.

바로 그때, 그들의 머리 위에서 앙칼진 목소리가 터져
나왔다.

"이 악귀 같은 놈!"

동시에 멸절사태가 추격대 고수들의 머리 위로 날아들었다. 그보다 먼저 수천 근의 위력이 실린 선장이 담우천의 정수리를 내리찍었다.

담우천은 무심한 눈빛으로 멸절사태를 쳐다보며 검을 뻗었다. 부드럽고 평온한, 멸절사태가 내뿜는 살벌한 기세와는 전혀 어울리지 않는 이질적인 움직임.

순간 멸절사태는 본능적으로 느꼈다.

'이건 위험하다!'

그녀는 담우천의 머리를 내리찍어 가던 선장을 회수하며 황급히 신형을 회전했다.

"큭!"

얕은 신음이 그녀의 입에서 가래처럼 튀어나왔다. 그녀는 금방이라도 기절할 것만 같은 고통을 참으며 억지로 신형을 바로잡고 지면에 착지했다.

"지독한 놈이다."

멸절사태는 핏물 뚝뚝 떨어지는 배를 매만지며 입을 열었다.

"그 수법을 이제야 쓰다니 말이지."

그녀는 오싹거릴 정도로 서늘한 눈빛으로 담우천을 노려보며 물었다.

"그게 바로 무정검왕을 쓰러뜨린 수법인 게지?"

담우천은 뭐라고 대답해야 할지 살짝 고민했다.

사실 근본은 같았다. 두 초식 모두 담우천이 명명한 일원검을 바탕으로 펼친 것이니.

하지만 무정검왕을 쓰러뜨린 건 검강이었고, 지금 멸절사태의 배를 찌른 건 검기였다. 검강과 검기를 동일한 초식이라 말할 수 있을까.

"일원검이라고 한다."

담우천은 잠시 생각하다가 천천히 입을 열었다.

"뿌리가 같으니 같은 무공이라 할 수 있겠지."

"좋다!"

멸절사태는 배에서 손을 뗐다. 더 이상 피가 흐르지 않는 걸로 보아 황급히 신형을 회전하며 피한 게 효과가 있는 모양이었다.

그녀는 다시 선장을 고쳐 쥐며 말했다.

"바로 그 일원검을 기다리고 있었다. 제대로 덤벼라."

그녀가 호기롭게 외칠 때였다.

"모두 제자리에 멈추시오!"

멸절사태의 등 뒤에서 우렁찬 목소리가 들렸다. 동시에 격전을 벌이던 이들의 동작이 멈췄고, 그들은 일제히 뒤를 돌아보았다.

하지만 모든 이들이 멈춘 건 아니었다. 사위가 갑작스레 조용해진 가운데 묵직한 신음 하나와 목이 터져라 외치는 절규가 이어졌다.

"큭!"

"안 돼!"

사람들은 다시 그 소리가 들려온 방향으로 시선을 돌렸다.

우르르 몰려 있던 노기인들이 뒤로 훌쩍 물러났다. 그 중 한 명의 칼에서 핏물이 뚝뚝 흘러내렸다. 그렇게 노기인들이 비켜나서야 겨우 무슨 상황인지 확인할 수가 있었다.

절규한 자는 설벽린이었다.

그는 낮은 신음을 흘리며 쓰러진 노인, 유 노대를 향해 바람처럼 튀어 나가 부축하며 울부짖었다.

"나 혼자서 피할 수 있었다고요! 왜 사부가 끼어드셨는데요!"

"허허, 그랬더냐?"

유 노대가 실웃음을 흘렸다. 웃는 입가 사이로 검은색 핏물과 새하얀 거품이 꾸역꾸역 밀려 나왔다.

"유 사부!"

"유 사부!"

강만리와 담우천, 나찰염요가 동시에 소리치며 그에게 날아갔다.

추격대 고수들은 그 빈틈을 노리고 기습을 퍼부을까 고민하는 듯하다가 이내 손을 멈췄다. 정파 무림인이라는 자존심이 그 기습을 허락하지 않은 것이다.

"무슨 일이냐? 어찌 된 일이냐?"

강만리가 유 노대와 설벽린 곁에 내려서며 다급하게 물었다. 설벽린은 눈물과 콧물을 줄줄 흘리며 말했다.

"제 뒤에서 파고든 공격을 대신 맞으셨어요. 충분히 제가 피할 수 있었는데…… 유 사부께서는 그렇게 생각하지 않았나 봐요."

굳이 더 이상 이야기를 듣지 않아도 어찌 된 일인지 머릿속에서 그려졌다.

강만리는 주변을 돌아보았다.

능운추풍과 진악패도를 비롯한 노기인들이 에워싸고 있는 가운데, 진악패도의 칼에서 핏물이 뚝뚝 흘러내리고 있었다.

놈이다.

강만리는 눈을 부릅뜬 채 자리에서 벌떡 일어났다.

진악패도는 그 서슬 퍼런 눈빛이 움찔거리며 저도 모르게 본능적으로 한 걸음 뒤로 물러나고 말았다. 하지만 그는 곧 자신의 추태를 깨닫고는 얼굴을 서늘하게 굳힌 채칼을 휘둘러 핏물을 떨쳐 내며 말했다.

"어디 덤빌 테면 덤벼라."

한편 담우천은 설벽린이 꼭 끌어안고 있는 유 노대의 상세를 확인했다. 이내 그의 얼굴이 일그러졌다.

"이런……."

가슴이 반으로 쪼개졌다. 살이 갈라지고 뼈가 으스러졌다. 갈라진 가슴 사이로 심장이 보였다. 이미 제 기능을 잃고 움직임을 거의 멈춘 심장, 심장이 죽어 가고 있었다.

"사부! 사부!"

설벽린이 더 큰 목소리로 절규하며 애달프게 유 노대를 불렀다.

회광반조(廻光返照)인 건가.

유 노대가 천천히 눈을 떴다. 그리고 바로 코 앞에 있는 설벽린의 얼굴을 보고는 빙그레 웃으며 입을 열었다.

"네놈…… 끝까지 살아남아라."

그게 유 노대의 유언(遺言)이었다.

"유 사부!"

설벽린은 유 노대의 시신을 껴안은 채 목 놓아 부르짖었다.

3. 날 죽이세요

내공이 부족했다. 지구력도 달렸다.

정파의 노기인들을 상대로 싸우기에는 턱없이 부족한 실력이었다.

그래서 피할 수밖에 없었다. 이리 뛰고 저리 폴짝 뛰고

넙죽 엎드렸다가 땅바닥을 기면서, 가진 재주를 총동원하여 미꾸라지처럼 노기인들의 공격을 피해야만 했다.

사실 겨우 일류급에 해당하는 고수가 초절정 고수들을 상대로 버티는 건 있을 수 없는 일이었다. 하지만 유 노대로부터 배운 경공술과 보법은 그걸 가능하게 만들어 주었다.

설벽린은 체력이 다하고 내공이 소진될 때까지, 능운추풍을 비롯한 노기인들의 공격을 이리저리 피해 다녔다.

"정말이지, 미꾸라지 같은 놈이구나!"

"사내대장부라면 도망만 치지 말고 정정당당하게 싸워라!"

잡힐 듯 잡힐 듯 잡히지 않는 설벽린의 움직임에 얼마나 분통이 터졌는지 노기인들은 얼굴이 새빨개지도록 화를 내며 소리쳤다. 그러다가 도저히 안 되겠던지 서로 눈짓을 교환하고는 설벽린의 사방을 에워쌌다.

때마침 설벽린은 더 이상 뛰어다닐 체력도, 경공술을 발휘할 내공도 남아 있지 않은 상태였다.

그 상태에서 능운추풍의 장력이 쏟아졌고 다른 노기인의 검이 날아들었다. 설벽린은 마지막 기력을 짜내어 무작정 뒤로 몸을 날릴 수밖에 없었다.

그게 노기인들의 함정이었다.

설벽린의 뒤에는 진악패도의 칼이 기다리고 있었다. 진

악패도는 제 발로 함정에 뛰어든 꼴이 된 설벽린의 등을 노려서 무지막지한 힘을 실러 칼을 휘둘렀다.

그 순간, 유 노대가 뛰어들었다.

자신이 상대하던 자의 칼질을 도외시한 채, 그 바람에 옆구리에 상당한 중상을 입게 된 채 유 노대는 설벽린과 진악패도 사이로 끼어들었다.

진악패도의 칼이 유 노대의 가슴팍을 내리찍었다. 유 노대는 황급히 손을 들어 그 일격을 막으려 했다.

하지만 다음 순간, 다급하게 몸을 빼내느라 입은 부상으로 인해 그의 움직임이 원활하게 이뤄지지 못했다.

그 찰나의 빈틈!

진악패도는 그 찰나의 빈틈을 용서하지 않고 일격에 유 노대의 가슴을 박살 낸 것이다.

* * *

강만리의 허장성세(虛張聲勢)는 통했다.

그가 "금강류하!"라고 외치는 순간, 바닷물이 갈라지듯 추격대 고수들이 양쪽으로 비켜났고 길이 열렸다. 장예추는 그렇게 열린 길을 단숨에 뛰어넘어서 순식간에 천소유에게로 날아들었다.

일순 서로의 눈과 눈이 허공에서 마주쳤다. 수많은 인

연과 인연이 얽히고설켜서 마침내 얼룩진 악연으로 끝이 난 옛 연인들의 눈빛이 서늘하고 냉랭하게 부딪치며 소리없는 파열음을 일으켰다.

동시에 천소유 뒤에 숨어 있던 그림자들이 앞으로 튀어나오며 장예추를 막았다.

'겨우 넷?'

장예추는 순간적으로 이게 웬 호재냐 싶었다.

조금 전까지만 하더라도 그녀의 주변에는 열두 개의 그림자가 숨어 있었다. 그들이 여전히 남아 있었다면 천하의 장예추라 하더라도 그들을 일거에 제압하고 천소유를 인질로 삼는 건 거의 불가능한 일이었다.

그런데 때마침, 천소유는 십이사자들 중 따로 두 무리에게 지시를 내려 자신의 곁을 떠나보냈던 것이다. 어쩌면 이 또한 아직 천소유가 악연의 쇠사슬에서 벗어나지 못했다는 의미일지로 몰랐다.

장예추는 손속에 인정을 두지 않았다. 천소유와의 정을 생각해서 조금이라도 인정을 베풀려다가, 동료들이 다치는 상황이 연출될 수도 있었으니까.

단단히 마음을 먹는 순간, 그는 곧 바람이 되었다. 앞으로 달려가는 걸음은 불과 세 걸음, 살랑이는 바람처럼 우측으로 휘돌며 그림자들의 옆으로 돌아선 건 단지 한 걸음.

장예추는 옆으로 나란히 늘어선 것처럼 되어 버린 그림자들을 향해 패왕신마도를 휘둘렀으며, 동시에 염교와 빙월의 쌍환을 날렸다.

　패왕단섬폭의 세 초식이 거의 한순간에 펼쳐졌다. 천근 바위를 단숨에 베고, 화살보다 빠르게 짓쳐 들며, 주변 십여 장의 모든 것을 폭발시키는 도강(刀罡)이 패왕신마도의 끝자락에서 번개처럼 뿜어졌다.

　콰콰콰!

　호쾌한 파공성과 함께 공기가 파열되고 공간이 찢겨 나가며 지면이 움푹 파였다.

　그림자들은 황급히 몸을 돌려세우며 막으려 했지만, 이미 때는 늦었다. 장예추의 칼에서 뿜어져 나간 강대한 도강은 순식간에 그들의 팔을, 어깨를, 다리를 자르고 부수고 박살 내며 사라졌다.

　스으으!

　동시에 허공을 휘돌아온 빙월과 염교의 쌍환이 어둠에 제 모습을 숨진 채 소리 없이 날아들어 그림자들의 목을 관통했다.

　믿을 수 없게도, 비선의 최정예라 불리는 절정의 고수 네 명이 장예추의 그 단 한 수에 목숨을 잃은 채 바닥에 쓰러지고 말았다.

　장예추는 격한 호흡을 가다듬으며 부글부글 끓어오르

는 내력을 안정시켰다. 조금 전 일격에 자신의 모든 걸 쏘아부었던 까닭에 하마터면 진기가 역류할 뻔한 것이다.

장예추는 염교와 빙월의 쌍환을 거둬들이면서 천소유를 바라보았다. 천소유는 무표정한 얼굴에 싸늘한 시선으로 그를 바라보고 있었다.

"미안하오."

장예추는 그녀에게 다가가며 말했다. 그녀는 도망치지 않았다. 그저 제자리에 우뚝 선 채 똑바로 장예추를 노려보면서 입을 열었다.

"내 오라버니를 죽인 게 맞아?"

어쩌면, 만에 하나, 혹시나 '아니'라고 대답할지도 몰랐다. 그 기적 같은 순간이 찾아오지는 않을까, 천소유는 마음을 졸이면서 그렇게 물었다.

장예추는 잠시 그녀를 바라보다가 고개를 끄덕였다.

"내가 죽였다…… 고 할 수 있겠지."

사실은 그가 죽이지 않았다. 물론 장예추는 그녀의 오라버니, 천휘수를 빈사 상태로 몰아넣고 자리를 떴다.

하지만 천휘수의 마지막 목숨을 냉정하게 끊은 자는 그와 그녀의 부친, 천예무였다.

하지만 장예추는 거기까지는 알지 못했다. 설령 알고 있다 하더라도 여전히 그는 자신이 천휘수를 죽였다고 대답했을 것이다.

무엇보다 천휘수는 장예추 본인의 손에 의해 죽어야 할 운명이었으니까. 그게 인과(因果)이자 업보였으니까.

천소유는 입술을 한 번 깨물고 다시 입을 열었다.

"그런데 이제는 나를 인질로 삼아 이 자리를 벗어나겠다 이거야?"

"미안하오."

장예추는 다시 한 걸음 그녀 곁으로 다가서며 말했다. 이제 손을 뻗으면 서로의 어깨를 만질 수 있을 정도로 가까운 거리.

하지만 그들 사이에는 그 어느 때보다도 차갑고 매서운 골이 파여 있었다.

너무나 깊고 넓어서 도저히 건널 수 없는 강의 골짜기.

장예추는 그 골짜기 너머에 있는 천소유를 향해 손을 뻗었다. 천소유가 반사적으로 한 걸음 물러났지만, 장예추는 아무 말 없이 그녀의 쇄골을 잡고 혈도를 제압하며 말했다.

"일이 끝나는 대로 무사히 돌려보내겠소. 내 목숨을 걸고 약속하겠소."

천소유는 더는 움직이지도 말하지도 않았다. 혈도를 제압당했기 때문이 아니었다. 그녀는 그저 타인을 대하는 눈빛으로 장예추를 쳐다보고 있었다.

장예추는 가슴이 쓰리고 아렸다.

첫사랑.

누구에게나 그렇겠지만 첫사랑의 상대와 이렇게 마주친다는 건 확실히 가슴이 아플 수밖에 없는 일이었다.

장예추는 한숨을 내쉬었다. 그러고는 몸을 돌려 큰 소리로 외쳤다.

"모두 제자리에 멈추시오!"

순간, 그렇게 외치는 장예추의 시야 한구석으로 새파란 칼날이 허공을 가르는 게 보였다. 그 앞으로 한 노인이 뛰어들고 있었다.

유 노대였다.

장예추의 얼굴이 딱딱하게 굳어졌다.

"안 돼……."

그가 반사적으로 중얼거릴 때였다. 칼은 유 노대의 가슴팍을 박살 냈고, 유 노대는 짚으로 만든 인형처럼 쓰러졌다. 설벽린의 절규가 비명처럼 이어졌다.

장예추의 손이 부들부들 떨렸다.

뒤늦게 후회와 자책감이 밀물처럼 밀려들었다.

그녀와 사담(私談)만 나누지 않았더라면…….

조금만 빨리 멈추라고 외쳤더라면…….

저렇게 유 노대가 허무하게 쓰러지는 일이 발생하지 않았을지도 모른다. 저렇게 설벽린이 진저리를 치며 울부짖지 않아도 되었을 것이다.

조금만 빨리, 천소유와 대화를 나누지 않고 빠르게 점혈한 후 사람들을 향해 멈추라고 외쳤다면.

장예추의 두 눈이 붉게 충혈되었다. 붉은 실핏줄이 금방이라도 터질 것처럼 튀어나왔다.

그는 이가 으스러지도록 악물었다. 그렇게 어금니를 꽉 깨물지 않는다면, 저도 모르게 미친 듯이 고함을 지르고 함성을 내지를 것 같았기 때문이었다.

'정신 차리자. 이성을 찾아야 한다.'

장예추는 애써 이성의 끈은 부여잡으며 크게 외쳤다.

"이 사람이 죽는 걸 보고 싶지 않다면 모두 무기를 버려라!"

그의 내공 가득 실린 외침이 우렁우렁하게 퍼졌다. 내당은 물론 약당 저편까지 크게 울려 퍼질 목소리였다.

추격대 고수들은 다시 한번 장예추와 천소유를 돌아보았다. 그들의 낯이 절로 찌푸려졌다. 장예추는 천소유의 쇄골에 손을 얹은 채 계속해서 말을 이었다.

"내가 원하는 건 우리의 안전이다! 우리가 무사히 이곳을 빠져나간다면 이 여인은 안전하게 돌려줄 것이다!"

"하아."

고요한 가운데, 추격대 사람들 중 누군가의 입에서 한숨이 흘러나왔다.

명색이 최고 지휘자라는 사람이, 이렇게 무책임할 정도

로 간단하게 적의 인질이 되다니.

그렇다고 천소유의 존재를 외면할 수는 없었다. 그녀는
어디까지나 비선의 주인이고 건곤가의 여식이었다. 더불
어 천휘수가 죽은 이후에는 오직 한 명밖에 남지 않은 건
곤가의 후계자이기도 했다.

바보 같으니.

차라리 스스로 목숨을 끊어 그 체면과 자존심만큼은 지
키지 그랬냐는 듯한 표정이 사람들 얼굴에 떠올랐다.

"그 말을 어찌 믿지?"

능운추풍이 나서며 물었다.

그는 묵시적으로 이 추격대 무리를 이끄는 수좌의 책임
을 맡고 있었다. 아마도 천소유가 인질이 되면 능운추풍
을 중심으로 추격대가 재편될 것이다.

장예추가 대꾸했다.

"믿어라. 그 수밖에 없으니."

능운추풍은 입술을 깨물었다. 확실히 그 수밖에 없었
다. 천소유의 안위를 생각하는 이상에는 그의 말을 믿을
수밖에 없었다.

천소유가 천천히 입을 열었다.

"날 죽이세요."

그녀는 담담한, 하지만 결의에 가득 찬 목소리로 말을
이었다.

"날 죽이고, 이 무림의 공적들을 모두 주살(誅殺)하세요. 그게 내 마지막 명령이에요."

추격대 사람들의 표정이 달라졌다. 그리고 능운추풍의 얼굴에도 굳건한 각오의 빛이 스며들었다.

바로 그때, 장예추가 천소유의 쇄골을 깊게 눌렀다.

"아악!"

천소유는 저도 모르게 비명을 내질렀다. 일순 사람들의 표정이 또다시 달라졌다. 막 입을 열려던 능운추풍도 장예추를 노려보며 굳게 입을 다물었다.

장예추는 차가운 어조로 말했다.

"과연 건곤가주가 수긍할지 모르겠군."

느닷없는 말이었다.

하지만 장예추의 그 말에 사람들의 안색이 급변했다. 심지어 능운추풍도 마찬가지였다.

4장.
천하제일인(天下第一人)이라 하더라도

"늘 그렇지만 양쪽 모두 빚을 지게 한 다음,
하나씩 받아 내는 재미가 쏠쏠하거든.
그게 진짜 협상이고, 제대로 된 중재라는 게지."

천하제일인(天下第一人)이라 하더라도

1. 난동(亂動)

건곤가주라는 말에 원로회의 노기인들은 물론 금해가
와 태극천맹의 고수들까지 딱딱하게 표정이 굳어졌다.

천예무.

그는 오대가문의 최고 고수는 아니었다. 가장 돈이 많
은 자도 아니었으며, 그렇다고 무공이 가장 뛰어난 가문
을 이끄는 것도 아니었다.

하지만 오대가문에서 가장 무섭고 두려운 사람이 바로
그였다.

천예무는 냉정했고 잔인했으며 심계(心計)가 깊었다.
그에게 원한을 사게 되면 삼족(三族)이 몰살당했다. 천하

어디에 숨든, 몇 년이 걸리든 끝까지 쫓아가 해치워야 직성이 풀리는 인물이었다.

그래서 사람들은 그를 두려워하고 무서워했다. 지금 추격대 고수들이 움찔거리는 것도 바로 그러한 이유에서였다.

"잘 생각하시오. 이 여인이 이 자리에서 죽음을 당하면 과연 건곤가주가 누구를 탓하게 될지 말이오."

장예추의 협박은 사람들에게 먹혔고, 그래서 추격대 고수들은 서로를 돌아보며 움직이지 못했다.

한편 설벽린의 귀에는 아무것도 들리지 않았다. 장예추가 협박을 하는 소리도, 천소유가 당당하게 자신을 죽이라고 외치는 목소리도 전혀 들리지 않았다.

그는 오로지 제 품에서 싸늘하게 식어 가는 유 노대만 지켜보고 있었다. 지금 그의 뇌리는 온통 유 노대로 가득 차 있었다.

유 노대는 설벽린을 보며 말했다.

─무림오적의 한 명이라고 하기에는 너무 자질이 떨어지는 게 아닐까 생각했는데, 내 생각이 틀렸구나.

유 노대는 또 말했다.

─자네의 실력이 부족했던 이유는 지금껏 제대로 된 스승을 모신 적이 없었고, 또 그로 인해 제대로 된 무공을

배운 적도, 수련한 적도 없었기 때문인 게지.

유 노대가 펄쩍 뛰며 말했다.

―내가 어찌 네 사부이더냐? 그런 소리 함부로 하지 마라!

유 노대는 강남제일낭을 향해 고개를 끄덕이며 이렇게 말하기도 했다.

―거둬들인 지 얼마 되지 않아 미숙하기만 할 뿐인 녀석이오. 앞으로 많은 지도 편달을 바라오.

그리고 유 노대는 마지막으로 말했다.

―네놈…… 끝까지 살아남아라.

눈물이 앞을 가렸다.

늘 사부, 사부 말만 했지 언제 제대로 제자 노릇을 한 적이 있던가?

없었다. 티격태격 다투기만 하고 제대로 무공을 배울 생각도 하지 않았다. 수발은커녕 늘 말썽만 피워서 유 노대의 골치만 썩게 했다.

정말이지 형편없는 제자였다. 어쩌면 이렇게 고약한 제자가 되었을까. 왜 살아생전 조금이나마 제대로 된 제자 노릇을 하지 못했을까.

후회가 가슴을 때렸다. 심장이 쪼개질 것처럼 아팠다. 온몸이 부들부들 떨렸다.

이 걷잡을 수 없이 타오르는 분노를, 이 모든 걸 불태
워 버릴 것처럼 뜨겁게 달아오른 화를 어떻게 참을 수 있
겠는가.

"으아아악!"

그는 비명을 질렀다. 고함을 질렀다. 유 노대의 시신을
내려놓으며 자리에서 벌떡 일어났다.

눈물이 앞을 가려 시야가 뿌옇게 흐려져 있었지만, 그
래도 저 늙은이는 똑똑하게 보였다. 아직도 유 노대의 핏
물이 묻어 있는 칼을 쥔 바로 저 늙은이!

"죽어랏!"

설벽린은 앞뒤 가리지 않고 몸을 날렸다. 지면을 박차
고 곤륜대팔식의 경공술을 펼쳐서 단번에 진악패도 왕양
군을 향해 날아갔다.

"미쳤어?"

등 뒤로 강만리의 외침이 터졌다.

하지만 설벽린은 상관하지 않았다. 외려 그는 모든 내
공을 끌어올려 주먹에 실은 다음, 전력을 다해 놈의 면상
을 후려갈겼다.

"어딜!"

진악패도가 한 걸음 옆으로 움직이며 칼을 들어 그대로
내리쳤다. 설벽린의 정수리부터 일도양단(一刀兩斷)이
되려는 찰나, 어느새 날아든 강만리가 그의 뒷덜미를 낚

아채고 잡아당겼다.

순간 피가 사방으로 튀었다. 강만리의 대응이 조금은 늦은 것이다. 진악패도의 칼이 설벽린의 손목을 성둥 잘랐다. 잘려 나간 손이 허공 높이 솟구쳤다.

담우천이 즉시 몸을 날렸다. 그의 검이 진악패도를 향해 곧게 찔러 갔다.

진악패도의 짙은 눈썹이 파르르 떨렸다. 단순하기 그지없는 일검(一劍)이었으나 도저히 피할 방법을 찾을 수가 없었다.

그는 이를 악물고 칼을 휘둘렀다. 성명절기라 할 수 있는 진악패천(鎭嶽覇天)의 초식이 강렬하게 펼쳐졌다.

그러나 담우천의 검은 그보다 한 수 빨랐다. 진악패천의 초식이 채 펼쳐지기도 전에 담우천의 검은 정확하게 그의 목을 꿰뚫고 있었다.

"노옴!"

멸절사태가 선장을 휘두르며 날아들었다.

"고목와선탄!"

고목대사의 소용돌이가 담우천을 덮쳤다. 능운추풍도 칠절우사도 청성파의 노기인도 동시에 담우천을 향해 절기를 뿜어냈다.

나찰염요의 채찍이 허공을 갈랐다. 담우천은 그 채찍의 도움을 받아 한쪽으로 비켜서는 동시에 다시 검을 내질

렸다. 둔형장신보에 이은 수라참쇄십이결의 참격(斬擊)
이 주변 공간을 난도질했다.

난장판의 싸움이 다시 시작되는 순간이었다.

설벽린의 뒷덜미를 낚아채고 잡아당긴 강만리는 뒤로
훌쩍 물러나 그의 상세를 살폈다.

"아아아악! 죽어라!"

설벽린은 여전히 강만리에게 뒷덜미를 잡힌 채 마구 두
손을 휘저으며 발버둥을 쳤다. 제 손 하나가 잘려 나간
것도 모른 채, 그 고통도 느끼지 못한 채 그는 계속해서
앞으로 달려 나가려고 했다.

"멍청한 자식. 난동을 부려도 때와 장소를 가려서 부려
야지."

강만리는 혀를 차며 그의 수혈을 짚었다. 이내 설벽린
의 몸이 축 늘어졌다. 강만리는 빠른 손놀림으로 그의 잘
린 손목을 지혈하고 품에서 지혈제를 찾아서 뿌렸다.

그러고는 상처 부위에 금창약을 덕지덕지 바른 다음,
옷을 북북 찢어 상처를 꽁꽁 동여맸다.

축 늘어진 설벽린을 유 노대의 곁에 눕힌 강만리가 벌
떡 일어서서 담우천에게로 달려가려 할 때였다.

"아악!"

비단 폭 찢어지는 듯한 여인의 비명이 사람들을 멈칫거
리게 했다. 뒤이어 장예추의 거친 고성이 터져 나왔다.

"지금부터 단 한 명이라도 움직이면 바로 이 자리에서 이 여인을 죽일 것이오!"

담우천들과 싸우던 노기인들, 그 현장에 합류하려던 다른 고수들 모두 흠칫 놀라 손을 거둬들이며 뒤로 훌쩍 물러났다.

담우천이나 나찰염요는 그 뒤를 쫓지 않았다. 그들 또한 설벽린과 유 노대가 쓰러져 있는 곳으로 날아가 그들을 지키듯 우뚝 서서 추격대 고수들을 바라보았다.

그렇게 다시 한번 소란이 가라앉고, 사람들은 장예추와 천소유를 돌아보았다. 천소유의 목에서 핏물이 흘러나오고 있었다.

장예추는 그녀의 피가 묻은 칼을 여전히 목에 댄 채 말했다.

"모두 내당에서 물러나라."

추격대 고수들이 움찔거리며 서로를 돌아볼 때였다. 느닷없이 이십여 명의 무리가 중당 쪽에서 우르르 몰려들었다. 금적산의 수하들과 싸우다가 부상을 입었던, 지금까지 자신을 치료하고 중상자들을 돌본 추격대 고수들이었다.

갑작스레 내당으로 난입한 그들은 천소유가 장예추에게 인질로 잡혀 있는 걸 보고는 다짜고짜 검과 칼을 휘두르며 덤벼들려고 했다.

"멈추시게!"

능운추풍과 고목대사, 천호대군이 동시에 소리쳤다.
추격대 고수들은 황급히 무기를 거둬들이며 제자리에 멈
췄다.

졸지에 능운추풍들과 새로 난입한 추격대 고수들 사이
에 끼게 된 장예추는 가볍게 호흡을 가다듬은 뒤, 훌쩍
몸을 날려 강만리 일행에게로 합류했다.

능운추풍들의 눈빛이 예리하게 빛났다. 허공을 나는 장
예추의 뒷모습에 빈틈과 허점이 고스란히 드러나 보였던
것이다.

"지금이라면……."

"아니, 안 되오. 자칫 선주가 위험해질 수 있소."

노기인들은 그렇게 소곤거리며 조금 더 참자고 서로를
다독였다.

"다친 곳은?"

강만리는 자신의 곁으로 날아온 장예추를 향해 물었다.

"괜찮습니다."

장예추의 대답에 강만리가 살짝 눈살을 찌푸리며 다시
말했다.

"너 말고, 그쪽 여인 말이다."

"아."

장예추는 머쓱한 표정을 지으며 말했다.

〈114〉 무림오적 40

"살갗만 찢어진 겁니다. 큰 부상은 아닙니다."

"하지만 그렇다고 하기에는 꽤 큰 비명을 내질렀는데?"

"그건……."

장예추는 난감한 표정을 지으며 말꼬리를 흐렸다.

사실 이미 이곳에서 죽기로 마음을 굳게 먹은 이상, 칼로 목은 긋는다고 해서 비명을 지를 천소유가 아니었다. 그런 그녀의 입을 억지로 벌리고 비명을 터뜨리게 하기 위해서는 상처를 내거나 위협과 협박 같은 건 소용이 없었다.

그래서 장예추는 있는 힘껏 그녀의 가슴을 꼬집었고, 천소유는 아픈 것보다 부끄럽고 쑥스러운 나머지 저도 모르게 비명을 내질렀던 것이다. 그런 이야기를 어찌 사람들 앞에서 할 수 있겠는가.

장예추는 슬쩍 천소유를 바라보았다. 천소유는 얼굴이 상기된 채 눈을 감고 있었다.

"뭐, 상관없겠지."

강만리는 눈치 빠르게 화제를 바꿨다.

"저자들이 다시 덤벼들지는 않겠지?"

장예추는 얼른 고개를 끄덕이며 대답했다.

"그럴 겁니다. 이쪽에 소유가 있는 이상, 아무리 저들이라 할지라도 함부로 접근하지는 못할 겁니다."

"소유?"

"아, 이 여인의 이름입니다. 천소유. 그게 비선 선주이 자 이 추격대 무리를 이끄는 그녀의 이름입니다."

"잘 알고 있네?"

"그게…… 예전에 모종의 인연으로 몇 번 마주친 적이 있었습니다."

"인연은 무슨."

잠자코 있던 천소유가 갑자기 눈을 부릅뜨며 장예추를 노려보았다.

"악연도 이런 악연이 없을 것이다."

그녀의 서슬 퍼런 목소리에 일순 장예추는 물론 강만리 도 움찔거리며 당황해했다.

2. 주도권

묻고 싶은 말은 많았다. 도대체 무슨 인연이고 악연인 지 호기심이 들었다.

하지만 강만리는 냉정하게 상황을 판단하며 입을 열었 다.

"만해 사부들은?"

"마차를 준비해서 후문 쪽에 대기하라고 전해 두었습 니다. 곧바로 따라가겠다고 말입니다."

"좋아. 그럼 저들을 이곳에 묶어 두기만 하면 되겠군."

고개를 한 차례 끄덕인 후, 강만리는 앞으로 나서며 추격대 고수들을 향해 소리쳤다.

"이 여인의 목숨은 그대들에게 달렸다!"

추격대 고수들의 눈에 울불의 빛이 스며들었다. 누군가 뒤쪽에서 크게 소리쳤다.

"여인을 인질로 삼고 협박하다니! 그래 놓고 무림인이라 할 수 있느냐? 정정당당하게 맞서 싸우자!"

일순 추격대 고수들이 웅성거리며 고개를 끄덕였다. 강만리는 냉랭하게 말했다.

"우리 네 명으로 그대들 삼십여 명과 싸우라고? 그게 그대들이 말하는 정정당당한 싸움인가?"

일순 소란이 가라앉았다. 강만리는 거침없이 말을 이었다.

"딱 하루의 시간을 주마. 하루 동안 이곳 월아원에서 한 발자국도 움직이지 않는다면 그때 이 여인을 풀어 주마."

"그걸 어찌 믿을 수 있느냐?"

"믿지 못하겠으면 따라오든가. 아니면 지금 당장 싸움을 벌이든가."

강만리의 냉정한 말투에 추격대 고수들의 말문이 막혔다.

어디까지나 지금의 주도권은 강만리 일행에게 있었다. 천소유의 목숨을 구하기 위해서는 그들이 쌀로 두부를 빚는다고 하더라도 믿어야 했다.

　강만리는 그 주도권을 확실하게 행사하고 있었다.

　"열을 헤아릴 때까지 가부(可否)를 결정하여 말하라. 그대들이 우리와 싸우겠다면 곧장 이 여인을 죽인 후 죽음을 각오하고 싸울 것이다. 하루 동안 유예를 주겠다면 최대한 멀리 도망친 후 이 여인을 풀어 줄 것이다. 우리도 이 여인에게 악감정이 있는 건 아니니까."

　공은 추격대 고수들 측으로 넘어왔다.

　"어찌하겠소?"

　"공(公)의 생각에 따르겠소."

　천호대군과 고목대사는 능운추풍을 향해 말했다. 어쨌거나 이 무리의 수장 역할을 맡을 수밖에 없는 능운추풍이 고민을 할 때였다.

　조그만 체구의 볼품없는 노인이 능운추풍을 향해 은밀하게 다가왔다.

　광견이었다.

　"허락하셔도 됩니다."

　그의 소곤거리는 목소리에 능운추풍은 고개를 돌려 내려다보았다. 광견이 눈빛을 반짝이며 말을 이었다.

　"하루건 이틀이건 반드시 놈들의 뒤를 쫓을 수 있습니다. 그러니 선주의 목숨부터 구하시는 게 옳다고 생각합니다."

"흠."

능운추풍은 수염을 매만지며 생각했다.

광견의 능력이 얼마나 대단한지는 예까지 놈들의 뒤를 추격하면서 누누이 봐 온 일이었다. 그러니 그의 말대로 하루나 이틀 정도 추격이 늦춰지는 건 별다른 문제가 되지 않았다.

문제는 과연 저들이 약속을 지켜 천소유를 무사히 돌려보내느냐 하는 것이었다.

그렇게 고민하는 동안 강만리는 냉정하게 수를 헤아렸고 이윽고 여덟, 아홉이라는 수자가 그의 입에서 흘러나왔다.

"어쩔 수 없지."

능운추풍이 고개를 끄덕였다.

"우리는 그저 최선을 다하면 되는 게야."

그렇게 중얼거린 능운추풍은 강만리가 막 열을 헤아리는 순간에 크게 소리쳤다.

"그리하겠다."

강만리는 입을 다물었다. 능운추풍이 계속해서 말했다.

"하루를 예서 기다리마. 대신 반드시 선주를 풀어 주어야 한다."

강만리는 고개를 끄덕였다.

"약속하지."

그렇게 협상이 끝나려는 순간이었다. 담우천이 강만리에게 다가서며 낮은 목소리로 소곤거렸다.

"저 늙은이일세."

"네?"

무슨 뜻인지 몰라 강만리가 눈을 휘둥그레 뜨며 물었다. 담우천은 능운추풍의 뒤쪽에 숨듯이 서 있는 자그마한 체구의 늙은이를 지켜보며 말했다.

"어떻게 저자들이 예까지 우리를 뒤쫓아 왔나 의아했었는데, 알고 보니 저 늙은이가 죽지도 않고 여태 살아 있었던 게다."

"저 늙은이가 누군데요?"

"광견이라는 자일세. 추격에 관한 한 천하제일인이라할 수 있지. 과거 정사대전 당시 저 늙은이에게 제법 쏠쏠한 도움을 받은 적이 있다네."

강만리의 얼굴이 굳어졌다.

"그럼 하루 유예를 받아도 소용이 없다는 말씀입니까?"

"그렇지."

강만리는 입술을 깨물었다. 하지만 지금의 상황에서는 별다른 뾰족한 수가 없었다.

"어쨌든 후문으로 갑시다."

강만리는 그렇게 말하며 설벽린을 품에 안았다. 장예추도 유 노대의 시신을 안았다. 나찰염요가 천소유의 마혈과 아혈을 짚고 안아 들었다.

담우천은 슬쩍 허리를 굽혀 창 한 자루를 주워 들었다. 비명횡사한 운룡신창의 유품(遺品)이었다.

그들은 곧장 내당을 가로질러 약당 쪽으로 이어지는 월동문을 향해 달려갔다. 이내 그들의 신형은 어둠 저편으로 사라졌다.

추격대 고수들은 이를 악물고 주먹을 불끈 쥔 채 그들의 뒷모습을 노려보았다. 하지만 그들이 할 수 있는 일은 아무것도 없었다.

결국 그들은 허탈한 모습으로 동료들의 시신을 챙기기 시작했다.

이번 싸움에서 그들은 상당한 피해를 봐야만 했다. 적지않은 고수들이 크게 다치거나 죽었다. 무엇보다 운룡신창과 홍염철검, 진악패도, 신안천리 등 노기인들의 죽음은 그들에게 큰 충격으로 다가왔다.

그들 모두 전대를 호령했던 불세출의 영웅들이었다. 수많은 고수들이 명멸(明滅)했던 정사대전을 겪으면서도 끝까지 용맹을 떨치며 살아남았던 고수들이었다.

그런데 불과 대여섯 명의 불한당 따위에게 천하의 그들이 목숨을 잃은 것이다.

치욕과 수치심이 살아남은 이들의 전신을 휘감고 있었다.

능운추풍은 동료들이 시신들과 부상자들을 한쪽으로 정리하는 모습을 지켜보다가 저도 모르게 길게 탄식을 흘렸다.

"아…… 무상하고 또 무상하구나."

조금 전까지만 하더라도 살아서 숨 쉬며 함께 이야기하던 동료들의 죽음을 맞이하자 그는 모든 게 덧없게 느껴졌다. 차라리 이대로 돌아가 모든 은원을 잊고 은거하고 싶다는 생각이 들기까지 했다.

"괜찮습니다."

광견이 다가와 웃으며 말했다.

"반드시 내가 놈들을 뒤쫓겠습니다."

그는 눈빛을 반짝이며 말을 이었다.

"아가씨는 반드시 내가 찾아오겠습니다."

아마도 그는 능운추풍의 탄식을 오해하고 있는 모양이었다. 능운추풍은 귀찮다는 표정을 지으며 입을 열었다.

그때였다.

한 줄기 서늘한 기운이 약당 쪽 전각 지붕 위에서 수십 장 거리를 가르고 날아들었다. 능운추풍은 저도 모르게 그 기운이 날아드는 방향으로 시선을 돌렸다.

깊은 어둠 속 저편에서 무언가 보이지 않는 것이, 소리도 나지 않는 것이 섬전보다 빠른 속도로 날아들고 있었다.

일순 능운추풍의 표정이 급변했다.

'암습?'

능운추풍은 반사적으로 보법을 밟으며 자리를 피했다.

콰콰콰!

바로 그 순간, 능운추풍을 노리고 쏘아진 것처럼 한 자루 장창이 우레 같은 소리를 내며 그를 스치듯 지나갔다. 동시에 비명이 터졌다.

"컥!"

순간적인 반응으로, 자신을 노린 적의 암습을 피할 수 있었던 능운추풍은 그 비명에 깜짝 놀라며 뒤를 돌아보았다.

창 한 자루가 광견의 가슴을 꿰뚫었다. 광견의 가슴에 주먹이 드나들 수 있는 구멍이 뻥 뚫렸고, 그 구멍에서 피가 철철 흘러나왔다.

"광견!"

능운추풍은 깜짝 놀라며 그를 부축해 안았다.

"제, 젠장."

광견이 힘없이 중얼거렸다.

"아가씨를 찾아야 하는데……."

광견은 그 말을 남기고 고개를 떨궜다. 능운추풍은 이느닷없이 벌어진 상황에 충격을 받은 듯 잠시 멍한 눈빛으로 광견을 내려다보다가, 갑자기 무슨 생각이 들었는지 크게 고함치며 울분을 터뜨렸다.

"내가 아니었구나!"

그는 발로 지면을 힘껏 내리치면서 소리쳤다.

"이 바보 같은 놈! 놈들은 내가 아니라 광견을 노렸어! 그것도 모르고 나만 피하려 했다니!"

광견의 추격 솜씨는 천하제일이었다. 사람은 저마다 고유한 냄새를 가지고 있고 그 냄새를 지우지 않는 한, 광견은 지옥 끝까지 그들을 추격할 수 있었다.

그걸 저어한 것이다.

그게 두려웠던 것이다.

그랬기에 놈들은 능운추풍들이 방심하기를 기다렸다가 광견을 향해 불의의 일격을 가한 것이다. 애당초 능운추풍들은 누구보다도 광견의 안위에 더 신경을 써야 했던 것이다.

"이, 이 개자식들아!"

능운추풍의 외침이 밤하늘 멀리까지 쩌렁쩌렁하게 울려 퍼지고 있었다.

담우천은 자신이 던진 창이 광견에게 격중하는지 지켜보지 않았다. 그는 창을 던지자마자 전각 지붕에서 훌쩍 몸을 날려 강만리 일행을 따라잡았다. 그 뒤로 능운추풍의 분노에 찬 일갈(一喝)이 들려왔다.

앞서 달리던 강만리가 힐끗 뒤를 돌아보며 말했다.

"성공하셨군요."

담우천은 그와 어깨를 나란히 하며 대꾸했다.

"다행히도."

"그럼 이제 한시름 놓을 수 있겠군요. 가서 만해 사부와 합류하기만 하면……."

그렇게 중얼거리던 강만리는 문득 저도 모르게 시무룩한 표정을 짓고 말았다.

마냥 기뻐할 수가 없었다. 놈들을 물리쳤다고 의기양양해 할 것도 아니었다. 이번 싸움은 잃은 게 너무 많았다.

담우천이 부상을 입었다. 나찰염요도 상처를 입었다. 설벽린은 손이 잘렸다. 유 노대는 목숨을 잃었다. 오로지 장예추와 강만리만이 그나마 무사할 수 있었다.

이걸 두고 승리했다고 기뻐할 수 있을까.

'내가 부족한 탓이다.'

강만리는 설벽린을 부둥켜안은 채 후문을 향해 질주하면서 자책했다.

'조금만 더 내공이 깊었더라면, 조금만 더 무공을 자유자재로 펼칠 수만 있었더라면…… 유 사부가 죽고, 설벽린의 손이 잘리는 건 막을 수 있었을 것이다.'

강만리는 이를 악물었다.

'더 강해져야 한다. 오대가문은 겨우 저 정도가 아니다. 지금까지 기습과 계략으로 놈들을 상대했지만, 앞으로는 정면으로 맞부딪칠 때가 자주 있을 것이다. 그때를 대비해서라도…… 지금보다 최소한 두 배는 강해져야 한다.'

그런 후회와 자책과 다짐을 하는 이는 강만리뿐만이 아니었다.

장예추도, 담우천도 한동안 오만하게 생각하고 있던 자신들의 무위에 대해서 다시 한번 진지하게 고민하고 있었다.

물론 철목가주 정극신을 해치우고 나서도 그들은 나름대로 고민하면서 보다 자신들의 무위를 높은 경지로 끌어올리려 노력했다.

그러나 그 와중에도 이제는 어느 정도 천하제일이라는 단어가 어울리지 않을까, 하는 오만한 자신감이 생긴 건 부인할 수 없는 사실이었다.

천하제일인(天下第一人).

아니, 어쩌면 천하제일인인지도 몰랐다. 일대일로 붙어 싸워서 그들을 이길 수 있는 자가 세상에 존재하지 않을지도 몰랐다.

그러나 그게 전부가 아니었던 게다.

청령산의 어린 사냥꾼이었던 장예추는 잘 알고 있었다. 산중대왕(山中大王) 호랑이도 수십 마리 늑대 무리에 포위당하게 되면 결국 죽게 된다는 사실을, 그는 직접 눈으로 본 적이 있었으니까.

그랬다. 천하제일인이라 하더라도 수십 명, 수백 명의 절정고수가 에워싸면 이길 수 없는 것이다.

그게 현실이었다.

'그러니 지금보다 더 강해져야 한다. 그깟 늑대들, 압도적인 힘으로 누를 수 있을 정도로.'

장예추는 입술을 깨물었다.

마침 담우천도 그와 비슷한 생각을 하고 있는 듯 무심한 그의 얼굴에 결연한 의지의 빛이 스며들었다.

골목 한 귀퉁이를 돌자 마침내 후문이 보였다. 후문은 활짝 열려 있었고 팔두마차 한 대가 웅장한 자태로 서 있었다.

'응? 저 마차는?'

후문을 향해 달려가던 강만리의 눈살이 살짝 찌푸려졌다. 눈에 익은 마차였다. 이곳까지 금적산과 함께 타고 왔던 바로 그 마차였다.

금적산의 마차.

일순 불안한 느낌이 그의 뇌리를 파고들었다.

아니나 다를까. 그들이 막 후문을 통과하는 순간, 기다렸다는 듯이 금적산의 껄껄껄 웃는 목소리가 들려왔다.

"역시 내 벗들일세. 예상했던 대로 놈들을 따돌렸군그래!"

3. 은혜라는 빚

"아버지! 어머니!"

담호가 담우천과 나찰염요를 보고는 크게 소리치며 달려오려 했다.

하지만 그 뒤에 서 있던 사내가 담호의 팔을 잡고 놓아주지 않았다. 일순 담우천의 눈동자 깊은 곳에서 걷잡을 수 없는 살기가 피어올랐다.

"아니, 아니. 싸우자는 게 아닐세."

금적산이 활짝 웃으며 말했다.

"보게나. 나는 외려 자네들을 도와준 것이네. 자네들의 식구가 다치지 않도록 말이야."

담우천과 강만리들은 금적산이 가리키는 곳으로 시선을 돌렸다. 그곳에는 예닐곱 구의 시신이 아무렇게나 뒹굴고 있었다. 검은 그림자, 언제나 천소유를 그림자차럼 호위하던 열두 사자들.

일순 천소유의 눈빛이 파르르 떨렸다.

말을 할 수 있으면 고함을 내질렀을 것이고, 움직일 수 있으면 발버둥을 쳤을 것이다.

하지만 그녀는 이미 마혈과 아혈을 짚힌 상태, 말할 수도 움직일 수도 없었다. 그저 한없이 애달픈 눈빛만으로 충성스러운 수하들을 바라볼 따름이었다.

강만리는 담우천을 뒤로하고 앞으로 한 걸음 걸어 나가며 상황을 살폈다. 확실히 조금 전 이곳에서 상당한 격전이 있었던 듯, 인질처럼 만해거사와 담호들을 데리고 있는 하인들과 시녀들의 온몸은 피투성이였다.

금적산이 어깨를 으쓱거리며 말했다.

"내가 황급히 이곳으로 달려왔기에 망정이지, 그렇지 않았다면 저자들의 기습에 적잖은 피해를 입었을 것이네."

강만리는 만해거사를 바라보며 눈으로 물었다.

'사실입니까?'

만해거사는 한 손에 담호를, 다른 한 손에 초목아를 쥔 채 고개를 끄덕였다.

'사실이네.'

사실이었다.

천소유의 명령을 받은 여덟 명의 십이사자는 곧장 두 패로 나눠 금적산과 만해거사의 행방을 찾았다.

얼마 지나지 않아 그들은 금적산과 만해거사 일행이 후문에 함께 있는 모습을 발견하고는 기습을 펼쳐 제압하려 했으나, 의외로 하인들과 시녀들은 그들이 생각했던 것보다 훨씬 강했다.

특히 여섯 명의 하인들은 구파일방의 장문인급에 해당하는 무위를 선보이며 여덟 명의 십이사자 중 일곱 명을 해치웠다.

강만리는 만해거사와 아이들을 천천히 살펴보면서 다친 곳이 없는 걸 확인한 후 안도의 한숨을 내쉬었다. 만약 그들마저 다치거나 행여 목숨을 잃었더라면……

강만리는 상상하기조차 싫다는 듯 고개를 홰홰 내저었다. 그러고는 다시 금적산을 바라보며 입을 열었다.

"어쨌든 고마운 일이구려."

금적산이 껄껄 웃으며 손을 내저었다.

"무슨 소리. 우리 사이에 겨우 요만한 일로 고맙다는 치사를 받을 수 있겠나?"

"그렇게 말하기에는 조금 전까지만 하더라도 우리를 저들 태극천맹에게 팔아넘기려 하지 않았소?"

"하하하. 그걸 믿었나? 그렇다면 내 연기도 썩 나쁘지 않았던 게로군. 그건 어디까지나 놈들을 속이고 이목을 내게 돌리려고 한 거짓말이었네. 자네들이 한숨 돌리면서 체력과 내공을 회복할 수 있게 말일세."

강만리는 무심한 눈으로 금적산의 너스레를 가만히 듣고 있었다. 금적산은 여전히 사람 좋은 얼굴을 하고서 말을 이어 나갔다.

"솔직히 말하지. 내가 굳이 놈들 편을 드는 척하면서 시간을 번 건 다 이 녀석들 때문일세."

금적산은 여섯 하인을 턱으로 가리키며 말했다.

"사실 내 전력은 이 녀석들이 전부라 해도 과언이 아니네. 뭐, 자랑은 아니지만 이 여섯 명이 힘을 합치면 세상 그 누구도 당해 낼 수 없다네."

강만리는 그의 말을 들으며 여섯 하인에게로 시선을 돌렸다. 그중 한 명은 강만리도 익히 잘 알고 있는 자였다. 월아원에 묵는 동안 세심하게 그들을 보살피고 시중을 들던 바로 그 하인이었다.

"이 녀석들을 중당 쪽으로 보내서 놈들을 막으라고 했는데 돌아오지 않더군. 물론 죽었을 거라고는 전혀 생각하지 않았네. 약간의 부상이나 다른 문제가 있어서 돌아오지 못했을 거라고 여겼지. 그래서 시간을 벌어야 했네. 이 녀석들이 내게 돌아올 때까지의 시간 말일세."

일리가 있는 말이었다. 강만리들이 보기에도 그들 여섯 하인은 금적산의 심복 중의 심복이었으니까.

그들이 돌아올 때까지 시간을 벌기 위해 거짓말을 하고 강만리들을 팔아넘기려는 척했다는 건 어쩌면 진실일지도 몰랐다.

"어라? 아직도 믿지 못하는 눈치인데?"

금적산은 난감하다는 표정을 지으며 말했다.

"아니, 잘 생각해 보게. 만약 내가 끝까지 자네들을 저들에게 넘길 작정이었다면 저자들의 기습을 막지 않았을 것이네. 아니, 저자들과 협력하여 인질로 삼고…… 그래,

지금 자네처럼 말일세. 그렇게 인질로 삼고 자네들을 구속했을 것이야. 만약 내가 진심으로 자네들을 버릴 작정이었다면 말이지."

역시 일리가 있었다.

만해거사나 담호, 초목아와 초유동이 인질로 잡히게 되면 강만리 일행은 꼼짝도 할 수 없게 된다. 심지어 상대는 금적산, 그에게는 천소유라는 인질도 소용이 없었다.

"그래서……."

가만히 금적산을 바라보던 강만리가 천천히 입을 열었다.

"우리에게 원하는 게 뭐요?"

"이미 다 이야기하지 않았나?"

금적산은 문득 진지한 표정을 지으며 말했다.

"태극천맹과 오대가문의 몰락. 그걸 위해 지금껏 놈들과 싸운 게 아니었나?"

강만리는 한숨을 쉬고는 말했다.

"어쨌든 도움을 준 건 고맙소. 그 은혜 훗날 반드시 갚으리다. 하지만 앞으로는 어떤 경로로도 귀하와 인연을 맺고 싶지 않구려."

"아, 마음대로 하게. 하지만 마지막으로 내 선물은 받고 가게나."

금적산은 피식 웃고는 하인 한 명을 불러 말했다.

"일노(一奴), 너는 앞으로 저 친구들을 나보다 먼저 생각하고 내 명령보다 우선해서 따라라. 앞으로 네 주인은 내가 아닌 저 친구들이다. 알겠느냐?"

일노라 불린, 강만리 일행을 시중들던 하인이 허리를 숙이며 대답했다.

"명심하겠습니다."

금적산은 강만리를 돌아보며 말했다.

"이 녀석을 선물로 주겠네. 마차도 잘 몰고, 허드렛일이나 잡다한 일도 척척 해내는 녀석이니까 쓸모가 있을 게야."

"아니, 됐소."

"어허, 어른이 선물을 주겠다고 하면 받는 게 예의고 도리인 게지. 게다가 지금 자네들, 부상자가 너무 많지 않은가? 마차는 누가 몰고 누가 또 음식을 마련하고 환자들을 살피겠는가? 저 약당주 혼자로는 부족할 것일세."

사람들의 시선이 자신에게로 쏠리자, 구석진 자리에 있던 젊은 약당주는 얼른 고개를 숙였다.

금적산의 말은 계속해서 이어졌다.

"내가 농 삼아 한 말을 기억하나? 내 장원에 약왕문의 후예가 있다고 말이지. 그거, 농이 아닐 수도 있다네. 하지만 설령 저 약당주가 진짜 약왕문의 후예라 한들, 혼자서 약을 만들고 상처를 치료하고 환자를 보살피고 하는 건 아무래도 힘들지 않겠나? 일노만 있으면 다 해결될 일일세."

"으음."

강만리는 입술을 깨물었다.

확실히 매력적인 선물이었다.

하지만 결국 저 일노라는 하인은 금적산의 세작일 가능성이 농후했다. 세작까지는 아니더라도 금적산과 이어지는 연결 고리인 것만은 확실했다.

아무리 손이 모자란다고 하더라도 그렇게 께름칙한 뒷맛을 지닌 자를 데리고 다녀야 할까. 그게 과연 옳을까.

강만리가 고민하고 있을 때였다.

"장난치는 거라면……."

침묵을 지키고 있던 담우천이 입을 열었다.

"내 반드시 돌아와 그대를 죽이겠네."

무덤덤한 얼굴, 무심한 목소리, 무감각한 눈빛.

금적산은 온몸에 소름이 돋았다.

영활(靈活)하고 노련하며 도산검림(刀山劍林) 속에서 산전수전 다 겪은 그였으나, 담우천의 저 무정한 모습에 주눅이 들고 손발이 움츠러드는 건 어쩔 수가 없었다.

"하하하."

그는 억지로 쾌활하게 웃으며 고개를 끄덕였다.

"물론일세. 내가 장난질을 하는 거라면 언제든지 돌아와 내 목을 가져가게."

"좋소이다."

강만리는 손뼉을 쳤다.

"그럼 감사하게 선물을 받겠소. 갑시다."

사람들이 하나둘씩 마차에 올랐다. 유 노대의 시신은 마차 뒤쪽, 짐칸에 실었다. 뒤늦게 유 노대가 죽은 걸 알게 된 만해거사는 짐승처럼 울부짖었다.

사람들은 그를 억지로 달래어 마차에 올랐다. 마부석에는 일노가 앉았다.

강만리는 마차 문을 닫기 전 다시 한번 금적산을 바라보며 말했다.

"너무 우리를 과소평가하지 마시오."

금적산은 양팔을 활짝 벌리며 대답했다.

"자네들을 과소평가했다면 애초에 내 동료로 삼지도 않았을 거네."

강만리는 노려보듯 그를 바라보다가 문을 닫았다.

일노가 채찍을 휘둘렀다. 팔두마차가 힘차게 지면을 구르며 어둠 속으로 사라졌다.

한동안 가만히 그 뒷모습을 지켜보던 금적산은 고개를 홰홰 내저으며 한숨을 쉬었다.

"정말 귀신 같은 놈이네. 그 눈빛, 꿈에도 생각나겠다."

그렇게 투덜거린 금적산은 문득 즐겁다는 듯이 싱글거리며 말했다.

"어쨌든 저 녀석들에게 은혜라는 빚 하나를 얹어 두었으니 언제고 쓸모가 있겠지. 그럼 이제 태극천맹 놈들에게도 은혜라는 빚을 씌우러 가 볼까나?"

그는 어슬렁거리며 후문을 통과하려다가 문득 시녀들을 돌아보며 물었다.

"그 검은 그림자들 중 살려 둔 놈 말이다. 섭혼술(攝魂術)을 사용할 수 있겠느냐?"

시녀들이 공손하게 머리를 조아리며 대답했다.

"물론입니다."

"좋아. 일이 정리되는 대로 섭혼술을 펼쳐서 우리 편으로 끌어들여라."

"알겠습니다."

"그리고 참."

금적산은 다시 다섯 하인들을 돌아보며 말했다.

"그 천소유라는 계집 말이다. 분명 저 녀석들이라면 죽이지 않고 중도에서 풀어 줄 것이다. 찾아서 죽여라."

하인들이 고개를 숙였다.

"존명."

"그래. 그럼 그렇게 뒤처리를 하면 되겠고."

금적산은 뒷짐을 진 채 후문을 지나 내당으로 걸음을

옮기며 콧노래를 불렀다.

"늘 그렇지만 양쪽 모두 빚을 지게 한 다음, 하나씩 받아 내는 재미가 쏠쏠하거든. 그게 진짜 협상이고, 제대로 된 중재라는 게지."

어둠이 천천히 걷히고 있었다.

5장.
파양호(鄱陽湖)를 지나는 동안

권력의 끈을 놓치려 하지 않고
더 큰 권력을 탐하는 자들은 권력의 맛을 본 자들이었다.
권력 앞에서 그들은 비굴하고 권력을 향해 추종하며,
권력을 위해 양심을 저버리고 정의를 외면한다.

1. 구자육(丘子六)

금릉 동쪽으로는 거대한 호수가 자리를 잡고 있었다. 동정호, 태호와 더불어 대륙의 삼대 담수호(淡水湖) 중 하나인 파양호(鄱陽湖:포양호)였다.

아침 햇살이 드넓은 파양호 수면 위로 내려앉아 황금빛으로 반짝이는 가운데, 파양호를 따라 길게 이어진 관도에는 팔두마차 한 대가 빠른 속도로 북진(北進)하고 있었다.

마차 안은 쥐 죽은 듯이 조용한 가운데, 오직 젊은 약당주 혼자만이 바쁘게 손을 놀리고 있었다. 그는 혼절한 설벽린의 잘린 손목을 치료하면서 말했다.

"응급 처치가 아주 좋았습니다. 게다가 상대의 솜씨가

워낙 뛰어나서 아주 깨끗하게 잘려 나갔습니다. 덕분에 덧나거나 곪지는 않을 것 같습니다. 피도 생각보다 많이 흘리지 않았고요."

젊은 약당주는 강만리가 자신의 뒤통수를 노려보는지도 모르는 채 계속해서 손을 놀리며 말을 이었다.

"잘려 나간 손을 챙겨 오신 것도 대단하십니다. 다급하고 초조해서 아무런 경황이 없으셨을 텐데, 어떻게 잘린 손을 챙길 생각을 하셨는지 정말 침착하게 행동하셨습니다."

강만리는 나지막하게 한숨을 쉬며 대꾸했다.

"내가 언제 챙겼는지 지금도 모르겠소."

사실이었다. 아무리 기억을 더듬어 봐도 잘려 나간 손을 주운 기억이 없었다. 그저 설벽린을 부둥켜안고 지혈하고 금창약을 바른 기억밖에 나지 않았다.

"그게 대단하시다는 겁니다. 본능적으로 반드시 필요하다고 생각하셨던 거겠죠. 그래서 자신도 모르게 챙기셨을 겁니다. 하지만 안타깝게도……."

약당주는 잘려 나간 손의 봉합이 끝났는지 허리를 숙여 이로 바늘의 실을 끊은 후 다시 말을 이었다.

"이 손은 사용하지 못할 겁니다. 아무리 깨끗하게 잘렸다고는 하지만 신경이나 힘줄, 근육과 뼈를 잇는 건, 지금 이 상황에서 불가능한 일이거든요. 도와주는 사람도 없고, 도구도 부족하고…… 무엇보다 마차가 너무 흔들립니다."

"그럼 일반 약당의 병소(病所)에서는 그게 가능하다는 말이오?"

강만리가 살짝 놀란 눈으로 약당주의 뒤통수를 내려다보며 물었다. 약당주는 "아." 하고 낮은 신음을 흘린 후, 어색한 목소리로 말했다.

"그게 그러니까…… 아무 고명한 의술 실력을 지닌 분이라면 가능하다는 말입니다. 저 만해거사라는 분이나……."

"나는 그럴 실력이 안 되네."

잠자코 있던 만해거사가 무뚝뚝한 목소리로 말했다.

"그 분야의 대가(大家)는 약왕문 사람들이지. 화타와 편작을 배출했던 그 약왕문 말일세."

한나라 시대의 화타는 처음으로 마비산(麻痺散)을 만든 것으로도 유명했다. 또한 그 마비산을 이용하여 환자를 마취시킨 다음 가슴을 절개하고 개복하며 창자를 절제하고 이어 붙이는 등 수많은 수술을 성공한 전력이 있었으며, 그리하여 대륙 외과(外科)의 비조(鼻祖)라고 불리는 인물이었다.

저 촉(蜀)의 관우가 마취도 하지 않은 채 화타에게 수술을 받은 건 역사적으로도 유명한 일화였다.

한편 편작은 전국시대의 의생으로 특히 맥진(脈診)에

뛰어나 대륙 맥학(脈學)의 시조로 널리 추앙받는 인물이
었다.

그들 모두 저 전설적인 의가(醫家)인 약왕문의 전인들
이라고 알려져 있었다.

"그렇죠? 하하."

약당주는 어색하게 웃으며 설벽린의 손목에 붕대를 동
여매기 시작했다.

"어쨌든 이렇게 봉합한 건 임시방편에 불과합니다. 손
이 썩어 들어가기 전에 뭔가 다른 수를 강구해야 할 겁니
다."

치료를 마친 약당주는 이마의 땀을 닦아 내며 그리 말
한 다음, 곧바로 담우천과 나찰염요의 부상을 치료했다.

찢어진 부위에 약을 바르고 꿰매고 그 위에 검은색 고
약 같은 걸 덕지덕지 바른 다음 붕대를 동여매는 것으로
그들에 대한 치료는 끝났다.

"생각보다 상처가 깊지 않은 데다가 워낙 내공이 출중
하신 까닭에 금세 아물 겁니다. 하지만 아물기 전에 과하
게 몸을 움직이시면 다시 터질 수가 있으니 유의하여 주
시기 바랍니다."

"언제쯤 완쾌하겠소?"

담우천이 무심하게 묻자 약당주는 고민하다가 대답했
다.

"대협의 무공이 워낙 뛰어나시니 아마도 보름이면 충분히 완쾌하지 않을끼 싶습니다."

"보름이라……."

담우천은 중얼거리며 눈을 감았다.

약당주는 주섬주섬 도구들을 챙겨서 함(函)에 넣고는 그제야 비로소 여유가 생긴 듯 길게 숨을 내쉬며 자리에 철퍼덕 주저앉았다.

강만리가 불쑥 입을 열었다.

"고맙소."

순진무구하게 생긴 약당주는 어색하게 웃으며 말했다.

"고맙기는요. 할 일을 했을 뿐입니다."

"그러고 보니 알고 지낸 지도 며칠이 지났는데 아직 통성명도 제대로 하지 못했구려. 사천 성도부의 강만리라고 하오."

"아, 인사가 늦었네요. 진짜. 금릉의 구자육(丘子六)이라고 합니다. 여섯 번째 자식이라는, 아주 게으른 양반께서 대충 지은 것 같은 이름입니다. 하하하."

'호오, 이 친구도 구씨 성이군그래?'

강만리의 눈빛이 살짝 빛났다. 그는 고개를 갸웃거리며 입을 열었다.

"구씨 성을 가진 젊은이들 중 아주 용한 의생들이 많구려. 사천 성도부에도 구씨 성을 지닌 뛰어난 실력의 의생이 있었는데 말이오. 몇 년 전 항주로 간다면서 성도부를 떠났지만 말이오."

"하하. 구씨라는 성이 발에 치일 정도로 워낙 흔하니까 말입니다. 이른바 장삼이사(張三李四)인 거죠."

장삼이사는 '앞에 가는 저 친구는 장씨네 셋째, 아니면 이씨네 넷째이다'라는 의미의, 워낙 흔한 성씨를 가진 평범한 사람들을 가리키는 사자성어였다.

하지만 대륙에서 가장 흔한 성씨는 이씨(李氏), 왕씨(王氏), 장씨(張氏) 순이었고, 구씨(丘氏)는 일흔 번째 내외로 많은 성씨였다. 발에 치일 정도로 많은 성씨라고 하기에는 사뭇 거리가 있었다.

구자육이라 자신을 소개한 약당주는 행여 강만리가 더 말을 붙일까 봐 경계라도 하듯, 얼른 좌석에 등을 붙이고 눈을 감으며 말했다.

"그럼 저도 잠시 쉬겠습니다. 밤을 꼬박 새웠더니 조금 피곤하네요."

"그렇게 하시구려."

강만리는 고개를 끄덕이며 입을 닫았다.

말 달리는 소리와 마차 바퀴 구르는 소리만이 쉴 새 없이 울려 퍼지는 가운데 마차 안은 그 어느 때보다도 조용했다.

한바탕 맹수처럼 울부짖으며 어린아이처럼 눈물을 펑

펑 쏟아 냈던 만해거사는 언제 그랬냐는 듯이 평온하고 침착한 표정을 지은 채 마차 밖, 파양호의 너른 수면을 지켜보고 있었다.

초목아는 만해거사의 옆에 기대어 앉은 채 새근새근 자고 있었다. 긴장과 불안, 초조한 가운데 밤을 지새운 소녀는 누가 업어 가도 모를 정도로 깊은 잠에 빠져들었다.

반면 똑같이 밤을 지새웠지만, 담호는 그녀와 달랐다. 담호는 유 노대의 죽음을 알고 펑펑 우느라 새빨갛게 충혈된 눈으로, 만해거사와 더불어 창밖 파양호를 쳐다보고 있었다.

분한 기색이 언뜻언뜻 소년의 얼굴 위를 스치고 지나갔다.

'내가 지켜 준다고 했었는데…….'

담호는 저도 모르게 낮은 한숨을 내쉬었다.

초목아에게도 그렇게 말했고, 장예추와 유 노대에게도 그렇게 이야기했다.

─걱정하지 마세요. 만해 할아버지와 초목아는 제가 지킬 테니까요.

담호는 약당에서 달려 나가려다가 불안한 눈빛으로 돌아보며 머뭇거리는 유 노대와 장예추를 향해 그렇게 자신만만하게 말했다.

그럴 자신이 있었다. 사천 성도부에서 도둑을 잡고 고굉과 싸워 이긴 이후로 담호는 이제 충분히 한 사람의 몫을 해낼 수 있다는 자신감이 생겼다.

부친이나 다른 숙부들처럼, 자신과 가족을 지킬 수 있는 힘이 생겼다고 생각했다.

하지만 실상은 그러하지 못했다.

후문에서 마주쳤던 네 명의 그림자 사내들은 담호가 아예 어찌해 볼 수 없을 정도로 강했다. 만해거사가 아니었더라면 순식간에 그들의 손아귀에 잡혀 인질이 되거나 혹은 목숨을 잃었을 것이다.

어디 그뿐인가.

금적산과 함께 모습을 드러낸 여섯 명의 하인들은 그네 명의 그림자 사내들보다 훨씬 강했다. 하인들은 금적산을 추격해 온 네 명의 그림자 사내들까지 일격에 해치웠고, 보호한다는 명목으로 담호의 손을 꼭 잡고 있었다.

담호는 그 손길을 빠져나오지 못했다. 강만리 일행이 후문에 당도하기 전까지 몇 차례나 하인의 손길에서 빠져나오려고 수를 써 봤지만, 하인의 손은 쇠로 만든 수갑처럼 단단하게 손목을 꽉 붙들고 있었다.

'착각하지 말자, 담호야. 넌 아직 어린아이다.'

담호는 그렇게 속으로 중얼거렸다.

그가 존경하고 좋아하던 유 노대도 목숨을 잃었다. 강호라는 데가 그렇게 무섭고 두려운 곳이었다. 아무리 무공이 강하다고 하더라도 언제 어떻게 죽을지 모르는 곳이 바로 이곳이었다.

이곳에서 끝까지 버티고 살아남으려면, 자신을 지키고 가족을 보호하면서 살아가려면 지금보다 몇 배, 몇 십 배는 더 강해져야 했다.

'어르신들 말씀이 맞았어. 지금 나는 한가로이 강호를 돌아다닐 때가 아니라 더 수련하고 정진해야 해.'

담호는 그렇게 자책하고 반성하며 마음을 고쳐먹었다. 북해빙궁에 당도하면 그때는 두 번 다시 한눈팔지 않고 오로지 수련에 매진하리라 결심했다.

어린 담호가 그렇게 깜찍한 각오를 다지고 있을 때, 어른들은 제각기 서로 다른 상념에 젖어 있었다.

나찰염요가 한숨을 쉬며 입을 열었다.

"이제 제 실력으로는 슬슬 벅차네요."

담우천과 강만리, 장예추가 그녀를 돌아보았다. 나찰염요는 조금은 서글퍼 보이는 미소를 띠며 말을 이었다.

"우리가 상대하는 자들의 무공이 높아질수록 저는 그저 걸림돌만 되는 것 같아요."

"아닙니다, 형수. 그게 무슨……."

강만리가 깜짝 놀라 말하려는 순간 담우천이 고개를 끄

덕이며 입을 열었다.

"하기야, 확실히 벅차지겠지. 앞으로는 더."

"맞아요. 누구보다 제 실력은 제가 가장 잘 아니까요. 확실히 벅차요."

"아니, 형수……."

"그렇다고 지금부터 다시 무공을 연마하는 건 무리일 테고, 앞으로는 집에서 다른 가족들과 함께 아이들을 지키는 일에 주력할 생각이에요."

말을 마치고 미소를 머금는 나찰염요를 보며 강만리는 입을 다물었다.

지금 그녀에게 무슨 해 줄 말이 있단 말인가.

2. 외줄 타기

나찰염요는 한 시절을 호령하던 고수였다. 정사대전 말기에 활약했던 사선행자 중에서 몇 남지 않은 생존자이기도 했다. 수많은 사마외도의 고수를 암살했고, 또 그들과 싸워서 승리만을 거뒀다.

그런 그녀가 지금 강호 은퇴를 선언하고 있는 것이다. 그것도 자신의 실력이 부족하여 동료들의 발목을 잡을지 모른다는 이유로.

거기에 대고 무슨 말을 할 수 있는가. 무슨 해 줄 말이 있을까.

강만리는 나찰염요의 미소가 왠지 처연하게 느껴졌다. 그러나 담우천은 다른 모양이었다.

"잘 생각했네."

담우천은 냉정하게 말했다.

'이런, 형님도 참. 이럴 땐 위로를 해 주셔야지……'

강만리가 눈을 흘기며 담우천을 바라보았다. 하지만 나찰염요는 빙긋 웃으며 말했다.

"그러니까 앞으로 당신, 그리고 도련님들의 어깨가 더 무거워질 거예요. 잘 부탁드려요."

"허험."

강만기는 할 말을 고르다가 결국 포기하고는 헛기침을 하며 화제를 돌렸다.

"상처는 괜찮습니까?"

"괜찮아요. 저 약당주의 실력이 정말 뛰어나네요."

"다행입니다. 형수가 다쳤을 때 얼마나 형님이 분노하셨는지, 제가 다 오금이 저릴 뻔했습니다."

"흠."

담우천이 쑥스럽다는 듯이 고개를 돌렸다.

나찰염요의 표정이 한결 더 부드러워졌다. 그녀는 가만히 손을 뻗어 담우천의 손을 잡았다. 담우천은 손을 빼려다가 머뭇거리더니 아주 희미한 목소리로 말했다.

"그동안 고마웠네."

"별말씀을 다 하시네요."

담우천의 얼굴이 빨갛게 물들었다.

강만리는 흐뭇한 눈길로 두 사람을 바라보다가 문득 생각이 난 듯 옆자리를 돌아보았다.

장예추와 천소유가 눈을 감은 채 나란히 앉아 있었다. 강만리는 장예추의 옆구리를 툭 치며 물었다.

"무슨 사이야?"

장예추는 잠든 것처럼 아무 대꾸도 하지 않았다. 강만리가 코웃음을 치며 재차 옆구리를 쳤다.

"너도 수혈(睡穴)을 짚인 게냐?"

"아픕니다."

장예추가 눈살을 찌푸리며 눈을 떴다.

"그러니까 좋은 말로 할 때 대답했어야지. 무슨 사이야, 저 여인과는?"

"별 사이 아닙니다. 백팔연단관의 수련생 시절에 잠시 알고 지냈던, 그런 사이입니다. 친구 누나의 친구, 뭐 그 정도입니다."

"흠, 그런 것치고는 너를 노려보던 그녀의 눈빛이 매우 각별한 것 같던데?"

"그야 당연하지 않겠습니까? 제가 그녀의 오라버니를

죽였으니까요."

"아."

강만리는 입을 다물었다.

장예추가 건곤가의 심장부에 들어가 강시를 훼손하고 천휘수를 죽였다는 건 화군악을 통해 익히 들은 바가 있었다. 잠시 그 사실을 잊었던 강만리는 머쓱한 표정을 짓다가 다시 입을 열었다.

"그래, 원한의 표정과 증오의 눈빛은 그렇다고 치자. 하지만 그 와중에 언뜻언뜻 보이는 아련한 감정의 눈빛과 표정은 뭐라 설명할 건데?"

"그녀가 아련한 눈빛으로 저를 봤다고요? 설마요."

장예추가 고개를 설레설레 흔들며 말했다.

"절대 그럴 리 없습니다. 그녀의 남은 삶은 오직 절 죽이기 위한 삶이니까요. 아마 지금도 꿈속에서 저를 죽이고 또 죽이는 중일 겁니다."

장예추는 흘깃 수혈을 짚인 채 잠들어 있는 천소유를 바라보면서 그렇게 말을 맺었다.

'아니, 분명 그런 관계만은 아닌 것 같은데.'

사천 성도부 명포두의 감이랄까.

강만리는 두 사람의 관계에 대해서 조금 더 캐묻고 싶었다. 하지만 나찰염요가 강만리를 방해했다.

"언제 그녀를 내려 줄 생각이세요?"

그녀의 갑작스러운 질문에 강만리는 살짝 애매하다는 표정을 지으며 대답했다.

"글쎄요."

나찰염요의 눈이 휘둥그레졌다.

"설마 약속을 지키지 않으실 생각인가요?"

"설마요."

강만리는 머쓱하게 웃으며 말했다.

"그녀를 데리고 있을수록 손해인데요. 금해가나 태극천맹은 물론 건곤가까지 우리를 죽일 듯 쫓아올 테니까요."

"그런데 왜……."

"우리가 함부로 놓아주면 그 즉시 목숨을 잃을 테니까요."

"네?"

나찰염요의 눈이 다시 한번 커졌다.

"그러니까 말입니다."

강만리는 엉덩이를 긁적이며 설명하기 시작했다. 그 모습에 눈살이 찌푸려질 법도 했지만 이미 오랫동안 그런 강만리의 습관을 봐 온 탓에 나찰염요는 한 점의 동요 없이 귀를 기울였다.

"금적산이 우리에게 다시 손을 내밀며 동료 운운했을 때, 그녀도 우리 옆에서 그 이야기를 다 들었잖습니까? 즉, 그녀의 입장에서는 금적산이 자신들을 배신한 게 되는데, 과연 살아서 돌아간다면 금적산을 가만 놔둘까요?
분명 뭔가 조치를 취할 겁니다."

"아."

"금적산은 당연히 그걸 미연에 방지하려고 들겠죠. 가
장 좋은 수는 이 마차를 뒤쫓다가 우리가 그녀를 풀어 주
면 바로 죽이는 겁니다. 어쩌면 그렇게 그녀를 죽인 다음
외려 우리에게 그 죄를 뒤집어씌울 수도 있겠네요."

"설마……."

"설마가 사람 잡는 법입니다. 보셨잖습니까? 그자는
자신의 목적을 위해서라면 언제든지 배신하고 또 손을
잡고 또 배신할 수 있는 자입니다."

"그건 그래요."

"그래서 그녀를 함부로 풀어 줄 수 없는 겁니다. 물론
추격대 놈들은 그런 사실을 모를 테니, 우리가 약속을 지
키지 않았다고 노발대발할 테지만 말입니다."

강만리의 설명에 이해가 간다는 듯한 표정을 짓던 나찰
염요는 문득 고개를 갸웃거리며 물었다.

"그럼 금적산은 결국 우리를 배신하게 될까요?"

"글쎄요."

강만리는 모르겠다는 듯이 고개를 저으며 말했다.

"어쨌든 그자는 방금 말씀드렸다시피 이익이 되면 우
리와 잡은 손을 놓지 않을 겁니다. 뭐, 게다가 우리가 갚

아야 할 빚을 만들어 두었으니, 배신할 때는 배신하더라
도 어떻게든 그 전에 빚을 받으려고 할 겁니다. 의외로
그런 부류의 사람들이 또 그런 사소한 빚 관리에 예민하
거든요."

강만리의 표정이나 말투가 재미있었는지 나찰염요는
저도 모르게 "풋." 하고 짧은 웃음을 터뜨리며 다시 물었
다.

"그 사소한 빚을 우리가 굳이 갚을 필요가 있을까요?"

"아, 그건 갚아야 합니다."

강만리는 진지한 표정을 지으며 말했다.

"지금이야 장난식으로 이리저리 편을 옮겨 다니면서
놀고 있지만, 만약 우리가 빚을 갚지 않으면 그때는 아예
우리의 적이 될 테니까요. 금적산 같은 부류의 인물은 같
은 편으로 두었을 때는 큰 도움이 되지 않지만, 적으로
두면 아주 골치가 아프거든요."

"으음, 그럼 반드시 빚을 갚아야겠네요."

"그렇죠. 그렇게 우리는 빚을 갚고, 대신 추격대 놈들
이 빚을 갚지 않기를 바라는 게 지금으로서는 최선인 겁
니다."

"추격대에게도 빚을 줬을까요?"

"물론입니다. 아마 우리와 헤어지자마자 내당으로 달
려가 어떻게든 놈들이 빚을 지도록 만들었을 겁니다. 가

령 우리의 행적을 가르쳐 준다거나…… 뭐, 그런 식으로
말입니다."

"휴우."

강만리의 말에 나찰염요는 한숨을 내쉬고는 고개를 설
레설레 흔들며 말했다.

"정말이지 알 수 없는 자네요."

"원래 그 부류 사람들이 다 그렇습니다. 알 수가 없죠."

강만리는 어깨를 으쓱거리며 말했다.

"발에 돈이 차일 정도로 돈이 많고 이룰 건 다 이뤄 놔
서 하루하루가 심심하고 재미없는 족속들입니다. 그러니
무슨 일을 해서라도 살아갈 즐거움과 흥미를 느껴야 하
는 거죠. 성도부 포두 시절에도 그런 갑부를 몇 명 봤습
니다. 지하 격투장을 열고 사람과 사람을 싸우게 하거나
혹은 맹수와 사람을 싸우게도 했죠. 심지어 임신한 여인
들을 두고서 임신한 애가 사내아이인지 여자아이인지 내기
를 걸고 배를 가르는 일도 있었죠."

"아아."

"진짜로 돈 많은 자들의 행태는 우리가 상상할 수가 없
답니다. 금적산이 굳이 이쪽저쪽으로 옮겨 다니면서 외
줄 타기를 하는 것도, 그 아슬아슬한 쾌감과 묘미를 느끼
기 위함일 테니까요."

"정말 이해할 수 없는 족속들이네요."

"그러니까 말입니다."

"그럼 형님은."

가만히 듣고 있던 장예추가 불쑥 끼어들었다.

"언제쯤 그녀를 놓아주실 생각입니까?"

"글쎄. 고민 중이라니까."

강만리는 묘한 눈빛으로 장예추를 바라보며 말했다.

"어쨌든 화평장 식구들과 만나기 전에는 놓아줘야 하겠지. 금적산의 손이 닿지 않도록 수를 쓴 후에 말이야."

"그렇군요."

장예추는 입을 다물었다.

그렇게 사람들이 대화를 나누는 동안에도 마차는 쉬지 않고 질주했다. 파양호의 수면이 어느덧 황금색으로 물들기 시작했다.

3. 차갑고 매서운 축객령(逐客令)

일노(一奴), 첫 번째 노예라는 뜻의 이름을 지닌 하인은 생각했던 것보다 훨씬 더 대단한 자였다.

놀랍게도 그는 말을 모는 와중에도 틈틈이 건포와 건량으로 강만리 일행의 식사를 준비했고, 잠시 마차를 멈추고 사람들이 휴식을 취하는 동안에 어디에선가 김이 모락모락 피어오르는 고기와 국을 가지고 돌아왔다.

월아원을 떠난 지 이틀째 되는 날, 남북으로 길게 이어진 파양호의 북쪽 끝자락을 지난 후에도 마찬가지였다.

"예서 일각 정도 쉬겠습니다. 밖으로 나오셔서 바람도 쐬고 가볍게 산책하십시오."

일노는 그렇게 말하자마자 어디론가 사라졌다.

마차 밖으로 나온 강만리 일행은 기지개를 켜거나 가볍게 손발을 움직이면서 주위를 둘러보았다.

어느새 유월로 접어들었고, 아침 햇빛은 그 어느 때보다도 맑고 투명하게 반짝였다. 산등성이에서 저 멀리 내려다보이는 파양호는 가을하늘처럼 파랗게 빛나고 있었다.

"주변에 인가나 마을이 없는 것 같은데."

강만리는 일노가 사라진 방향으로 시선을 돌리며 중얼거렸다.

"설마 우리를 뒤쫓고 있는 다른 하인들에게서 음식과 물을 가져오는 건 아니겠지?"

"설마 그렇게까지 하겠습니까?"

장예추가 목을 좌우로 꺾으며 말했다.

팔두마차는 크고 넓었다. 등받이는 푹신했고 좌석은 펼치면 침상으로 사용해도 될 정도로 넓고 편안했으나, 하루 종일 마차에 있다 보면 온몸이 뻐근하고 어깨가 결리고 엉덩이가 아플 수밖에 없었다. 이렇게 잠깐이라도 밖으로 나와 걷거나 가벼운 운동을 하면서 몸을 풀어 줘야만 했다.

"하지만 그게 아니라면 어떻게 매번 그리 빠르게 음식을 가져올 수가 있지? 그것도 뜨끈뜨끈한 우육탕 같은 걸 말이지."

"뭔가 그만의 재주가 있을 겁니다."

"흠, 한번 쫓아가서 확인해 보고 싶군그래."

장예추는 강만리의 말을 귓등으로 들으면서 힐끔 천소유를 바라보았다. 수혈을 점혈당한 채 잠들어 있던 그녀도 마차가 멈추면 지금처럼 밖으로 걸어 나와 잠시 휴식을 취하게 해 주었다.

물론 천소유는 잠시 혈도가 풀렸다고 해서 도망칠 생각은 전혀 하지 않았다. 그녀는 장예추나 다른 자들이 얼마나 강한 고수인지 잘 알고 있었다. 틈을 노려 도망친다고 하더라도 반각도 채 못 되어서 다시 잡힐 게 뻔한 일이었다.

그녀는 천천히 마차 주변을 걸으면서 무심한 눈길로 파양호의 경치를 내려다보았다.

"미안하오."

장예추가 그녀에게 다가가 말을 건넸다. 천소유는 그를 쳐다보지 않았다.

"인질로 삼을 생각은 추호도 없었소. 상황이…… 상황이 이렇게 되었을 뿐이오."

장예추는 그렇게 말하면서도 참 서글픈 변명이구나 생각했다.

여전히 그녀는 아무런 말도 하지 않았고 장예추를 돌아보지도 않았다. 장예추는 가만히 그녀의 옆얼굴을 바라보았다.

헤어진 지 어느덧 오륙 년이 흘렀지만 여전히 그녀는 아름다웠다. 한없이 푸르렀던 시절의 그녀와 전혀 다를 바가 없었다.

사실 젊은 날 사랑의 열병 한 번 앓아 본 적 없는 사람이 어디 있을까.

장예추 또한 그 누구보다도 강렬하고 뜨거우며 독감처럼 지독한 열병을 앓았다. 심장이 뻥 뚫릴 정도로, 가슴에 구멍이 나서 아무것도 남지 않게 된 것처럼 처절하고 허무하며 가슴 아픈 열병을 앓았다.

처음에는 누나로 시작했다. 친한 동료의 친누이, 그 누이의 친구로 만나게 되었다. 그리고 만난 그 순간부터 장예추는 사랑에 빠졌다. 열예닐곱의 어린 날, 그녀의 생각에 얼마나 많은 불면(不眠)의 밤을 보내야 했던가.

하지만 결국 장예추가 먼저 작별을 고했다. 다음에는 이런 식으로 만나지 말자면서 그녀의 곁을 떠났다. 이후 천소유와 다시 만난 건 당혜혜와의 혼인식 때였다.

그때 그녀는 무슨 생각을 하며 축복했을까. 그때 그녀가 했던 말이 뭐였더라?

기억이 나지 않았다. 당시 장예추는 아무 생각도 하지 못한 채 그저 홀린 듯 그녀를 바라보기만 했었으니까.

"미안하오."

장예추는 다시 입을 열었다.

"하루가 지나면 풀어 주겠다고 한 약속, 지키지 않으려 한 건 아니오. 다만…… 상황이, 지금 상황이 허락하지 않아서……. 하지만 반드시 아무 일 없이 풀어 주겠소."

"그 정도는 나도 알고 있어요."

천소유는 장예추에게 등을 진 채 입을 열었다.

"금적산이 사람을 보내 날 죽이려 들 테니 그걸 막기 위해서겠죠."

"알고 있었소?"

"물론 고맙다고는 말하지 않겠어요. 날 위해서가 아니라, 금적산이 날 죽인 걸 당신들의 짓으로 꾸미지 못하게끔 하기 위해서일 테니까요."

장예추는 뭐라 말을 해야 할지 고민하다가 다시 사과했다.

"미안하오."

"미안할 짓을 왜 했어요?"

"미안하오."

"됐어요. 이제 당신과는 이야기하고 싶지 않아요. 가서 당신의 대장이나 불러오세요."

매섭게 쏘아붙이는 것도 아니었다. 차갑게 내지르는 말투도 아니었다. 하지만 그 무심하고 무덤덤한 목소리야말로 한없이 차갑고 매서운 축객령이었다.

장예추는 가만히 그녀를 바라보다가 천천히 발길을 돌렸다. 절로 한숨이 흘러나왔다.

과거의 추억에 미련을 두고 집착하는 것처럼 어리석은 일이 어디 또 있을까.

물론 장예추도 그게 어리석기 그지없는 일임을 잘 알고 있었다. 그러나 감정은 언제나 이성을 배반하는 법이다. 그리고 사람은 이성보다 감정에 먼저 반응한다. 이성대로 살 수만 있다면 세상 어느 누가 범죄를 저지르겠는가.

장예추가 다가오자 강만리가 흘낏 천소유를 바라보며 입을 열었다.

"무슨 이야기를 나눈 거야?"

장예추는 무뚝뚝한, 그래서 왠지 모르게 심통이 난 듯한 목소리로 대꾸했다.

"형님 오시랍니다."

"날? 왜?"

"형님과 할 이야기가 있다네요."

"흠."

강만리는 무심코 엉덩이를 긁적이면서 중얼거렸다.

"설마 협상 같은 걸 시도하려는 건 아니겠지?"

"글쎄요. 가서 이야기 나눠 보시면 알게 될 겁니다."

"뭐, 그럼. 허험!"

강만리는 헛기침을 크게 한 후 어슬렁거리며 천소유를 향해 걸음을 옮겼다.

'정말 아름답네.'

강만리는 천소유에게로 걸어가는 동안 그녀의 얼굴을 감상하면서 감탄했다.

그가 알고 있는 미인은 많았다. 그중에는 이른바 경국지색(傾國之色)이라고 불릴 정도의 미인도 여럿 있었다. 특히 십삼매는 세상에서 가장 아름다운 여인이라고 할 수 있을 정도로 아름다웠다.

그런데 이 천소유라는 여인 또한 십삼매에 못지 않은 뛰어난 미모를 지니고 있었다. 십삼매와는 살짝 결이 다른, 청초하면서 우아하고 고귀함이 흐르는 아름다움. 감히 함부로 건드릴 수 없으며 절로 고개를 조아리게 되는 그런 아름다움의 소유자였다.

"부르셨소?"

강만리의 말에 천소유가 그를 돌아보았다. 서늘하고 냉랭한 눈빛이 그 이지적(理智的)인 미모와 너무나 잘 어우러져서, 강만리는 저도 모르게 심장이 쿵 내려앉았다.

"저 때문에 곤혹스러우시죠?"

그녀가 물었다.

강만리는 무심결에 고개를 끄덕이려다가 화들짝 놀라며 정신을 차렸다. 그러고는 길게 호흡을 내쉬면서 마음을 가다듬은 후 천천히 입을 열었다.

"왜 그리 생각하시오?"

"절 풀어 주기로 약속하셨잖아요?"

"아, 그건 지킬 것이오. 그것 때문에 날 부른 거라면……."

"언제 어떻게 풀어 주실 건데요? 당장이라도 금적산의 수하가 절 죽이려고 할 텐데요."

'오호!'

강만리의 눈빛이 반짝였다. 그는 새삼스러운 눈빛으로 천소유를 바라보았다.

제법 머리가 돌아가는 여인이었다. 하기야 그 정도 머리를 굴릴지도 모르면서 비선의 주인이 될 리는 없었다.

강만리는 잠시 생각하다가 외려 그녀에게 질문을 건넸다.

"어쨌으면 좋겠소?"

아마도 그녀가 자신을 부른 건 바로 그걸 논의하기 위함이리라고 강만리는 생각했다. 아니나 다를까, 천소유는 이미 생각해 둔 바가 있다는 듯이 막힘없이 말했다.

"정주(鄭州)에서 내려 주세요."

"정주?"

강만리의 표정이 변했다.

하남 정주는 건곤가 본산에서 겨우 이삼백 리 떨어져 있는 성시(城市)였다. 즉, 정주 일대는 언제든지 건곤가의 무사들이 출현할 수 있는, 강만리의 입장에서 보자면 극도로 위험한 곳이었다.

천소유는 계속해서 말을 이어 나갔다.

"정주라면 바로 본 가의 사람들을 부를 수가 있어요. 아무리 금적산이 천방지축 망나니라 할지라도 감히 본 가의 사람들과 대적할 생각은 하지 못할 테니까요."

강만리는 고개를 저으며 말했다.

"하지만 그 본 가 사람들과 함께 다시 우리를 뒤쫓는다면 그야말로 우리만 낭패가 아니겠소?"

"뒤쫓지 않을게요."

천소유는 차분한 어조로 말했다.

"이번 임무는 완벽하게 실패로 끝났어요. 그걸 어떻게 역전해 보려고 발버둥을 치다가는 외려 더 큰 손실을 입을 수밖에 없어요. 차라리 이 정도에서 정리하고 퇴각하여 전열을 가다듬은 다음, 또 다른 기회를 노리는 게 옳은 일이에요. 그게 제대로 된 병법이기도 하고요."

게서 그녀는 한 호흡을 쉬었다가 다시 말을 이어 나갔다.

"그리고 만약 금적산이 포기하지 않고 저를 노린다면 그것도 성가신 일이니까요. 당신들을 뒤쫓는 우리를 다시 금적산의 무리가 뒤쫓게 되면, 자칫 앞뒤로 협공을 당할 공산도 적지 않거든요."

'정확한 판단이다.'

강만리는 내심 고개를 끄덕였다.

'사실 나도 그리 생각하고 있었으니까. 그래서 네가 조금이라도 욕심내기만 해 봐라. 그때는 금적산의 수하들과 결탁하여 인정사정 봐주지 않고 깡그리 몰살시킬 테니, 하고 말이지.'

강만리가 그리 생각하는 동안에도 천소유의 말은 끊어지지 않고 계속 이어졌다.

"아, 금적산에 대해 말이 나왔으니 말인데, 언감생심 일개 전장 장주가 어딜 감히 강호 무림을 넘보려고……. 아예 이참에 금적산을 비롯한 장사꾼들의 콧대를 단단히 꺾어 놓을 필요가 있어요."

"흐음. 거참 생각보다 할 일이 많으신 분이로군."

강만리가 반쯤은 조롱하는 듯 말하자, 천소유는 가볍게 눈살을 찡그리며 말을 받았다.

"할 일이라는 건 늘 정해져 있죠. 단지 얼마나 부지런하냐 그렇지 못하느냐에 따라서 차이가 나는 것처럼 보일 따름이에요."

"그럼 천 소저는 상당히 부지런한 모양이구려."

"네. 제 오라버니가 누군가에 의해 목숨을 잃은 후로는요. 그 전에는 저도 꽤 게을렀죠."

"으음."

강만리는 묻고 싶은 말을 억지로 참으며 화제를 돌렸다.

"그럼 내가 천 소저의 제안을 들어주는 대가로 얻는 게 뭐가 있소?"

"대가요?"

천소유는 고개를 갸우뚱거리며 말했다.

"그야 당연히 한동안 우리의 추격을 받지 않아도 된다는 거잖아요?"

"허어."

"설마 저 병소(病所)와 같은 팔두마차를 타고서 계속 우리에게 쫓기고 싶은 건 아니겠죠? 환자들의 치료를 마차에서 해 가면서요?"

"으음."

강만리는 꿀 먹은 벙어리가 되었다. 천소유가 계속해서 말을 이어 나갔다.

"제가 상황을 정리하고 병력을 추스른 다음 다시 당신들을 뒤쫓을 힘을 모으는 동안, 당신들은 어딘가에 은신한 채 환자들을 치료하면서 우리에게 뒤쫓길 체력을 끌어올리세요. 그렇게 해서 다시 만날 때는, 이번 같은 실

수는 절대 하지 않을 테니까요."

"실수가 아니라 실력 부족이라고 해야 옳지 않겠소?"

"아니, 실수예요. 설마 금적산이 그런 멍청한 녀석인지
는 전혀 상상조차 하지 않았으니까요."

천소유는 가볍게 한숨을 내쉬고는 문득 표정을 바꾸며
진지하게 말했다.

"그런데 한 가지 궁금한 게 있어요."

"말씀해 보시오."

"왜 오대가문과 태극천맹과 싸우려 하는 거죠? 결국에는
계란으로 바위 치는 일에 불과한 싸움일 텐데 말이에요."

"흠."

"지금이라도 포기하고 순순히 죄를 받겠다고 한다면, 제
가 어떻게든 나서서 당신들의 생명을 구해 드리겠어요."

천소유는 적극적으로 강만리를 설득하려 했다.

'허어.'

강만리는 눈을 휘둥그레 떴다.

'이 당돌한 계집 좀 보게나.'

6장.
무림(武林)의 공적(公敵)

아주 오랜 여정을 마친 것 같았다.
또 잠깐 눈을 붙였다가 뗀 듯한 기분이기도 했다.
온몸이 둥둥 떠 구름 위에 있는 것 같기도 했고
아주 깊은 해저에 푹 가라앉은 것 같기도 했다.

1. 이게 뭐야?

비록 강만리 일행이 정중하게 대우한다고는 하지만 어디까지나 그녀는 인질이었고 포로였다.

그런데도 지금 그녀는 강만리를 설득하고 협상하려고 시도하는 중이었다. 마치 그녀의 손에 강만리 일행의 목숨이 쥐어져 있는 것처럼.

확실히 당돌한 계집이었다.

강만리는 새롭다는 시선으로 천소유를 바라보았다.

자신의 처한 사정을 모르는 것도 아닐 텐데, 그녀는 당당하고 자신이 넘쳐흘렀다. 저 수선화처럼 청초한 외모와 버들가지처럼 가녀린 몸매 어디에 그런 자신감이 숨겨져 있는 것일까.

강만리는 잠시 그녀를 지켜보다가 차분한 어조로 말했다.

"그건 안 되오."

천소유는 눈빛을 반짝이며 물었다.

"왜죠?"

"우리는 오대가문과 태극천맹을 무너뜨릴 사명과 의무를 짊어지고 있으니까."

"누가 그런 사명과 의무를 당신들에게 주었는데요? 설마 신(神)이라거나 황제라거나 하는 엉뚱한 소리는 하지 않으실 테고요."

'아니, 그 설마가 맞지.'

강만리는 지난날, 황제는 아니더라도 차기 황제가 될 분에게 의뢰를 받은 적이 있었다.

ㅡ황궁연쇄살인사건의 배후와 역모의 주동자들을 끝까지 추적하여 그들의 정체와 신분을 알아내는 한편, 그들을 몰살시키도록 하라.

그게 황태자 주완룡의 의뢰를 가장한 지엄한 분부였다.

물론 그에 앞서 강만리와 그의 동료들은 태극천맹과 오대가문을 상대하기 위해 황계가 키워 낸 비장의 무기들이라 할 수 있었다.

하지만 강만리는 황계와 주종(主從)의 관계가 아니라고 생각하고 있었다. 또한 갑을(甲乙)의 관계도 아니었다.

황계와는 서로의 이익을 위해 잠시 손을 잡은, 그래서 언제든지 적으로 돌아설 수 있는 사이일 뿐이다. 적어도 강만리는 황계와의 관계를 그렇게 정의하고 있었다.

'굳이 십삼매에게 따로 연락하지 않고 비밀리에 성도부를 빠져나온 건 그런 이유에서였지.'

하지만 십삼매도 이제는 강만리의 의중을 어느 정도 헤아리고 있을 것이다.

자신과 결별하겠다는 의지를 어느 정도 보여 준 강만리의 행동에 어쩌면 그녀는 분노할지도, 아니면 코웃음을 칠지도, 아니면 슬퍼할지도 몰랐다.

'십삼매라면 빙긋 웃으며 이렇게 말하겠지. 손오공이 부처님 손바닥을 벗어나려는 것과 다를 바가 없어요. 뭐, 이렇게 말이야.'

그런 생각을 하면서 희미하게 미소를 머금던 강만리는 퍼뜩 정신을 차렸다. 천소유가 이상하다는 눈빛으로 가만히 자신을 바라보고 있다는 사실을 깨달았기 때문이었다.

"설마 진짜 황제가 명령한 건가요?"

그녀가 물었다.

날카로운 눈썰미였다.

"설마 그럴 리가."

강만리는 천소유의 눈을 똑바로 쳐다보면서 태연하게 고개를 저었다. 천소유가 이내 반박하려 입을 열 때였다.

"아악!"

난데없는 비명이 들렸다. 강만리와 천소유는 깜짝 놀라 고개를 돌렸다. 그들의 시야에 마차로 뛰어가는 사람들의 모습이 들어왔다.

"벽린이 깬 건가?"

강만리는 중얼거리면서 마차로 달려가려 했다. 하지만 그는 다음 순간 걸음을 멈추고 묘한 눈길로 천소유를 돌아보았다.

천소유는 피식 웃으며 담담하게 말했다.

"마혈이 좋겠네요, 수혈보다는."

"그럽시다."

강만리는 손을 뻗어 그녀의 마혈을 짚었다. 이내 그녀의 몸이 장작처럼 뻣뻣해지고 움직이지 않게 되었다. 강만리는 눈을 크게 뜨고 자신을 쳐다보는 천소유의 시선을 피해 그녀를 단번에 부둥켜안고는 마차 안으로 뛰어들어갔다.

"아아! 사부! 유 사부!"

아니나 다를까, 마차 안에서는 막 깨어난 설벽린이 마

구 소리치며 발버둥을 쳤다. 구 약당주와 담호가 그의 어깨를 붙잡은 채 어찌할 바를 몰라 하고 있었다.

"내 탓이야! 내가 유 사부를 죽인 거야!"

설벽린은 눈물과 콧물이 범벅이 된 채 그렇게 절규했다.

마차에 오른 만해거사가 성큼성큼 그에게로 다가가더니 있는 힘껏 따귀를 올려붙였다.

짝!

경쾌하면서도 날카로운 소리가 막 마차 안으로 뛰어들던 강만리의 귓전을 파고들었다. 강만리는 인형이 되어 버린 천소유를 한쪽 좌석에 조심스레 눕힌 다음 설벽린에게로 다가갔다.

설벽린은 입을 벌린 채, 놀라고 당황한 눈으로 자신을 때린 만해거사를 쳐다보았다. 만해거사는 서늘하고 냉랭한 목소리로 말했다.

"그래. 울고불고하는 걸 보니 그래도 아직 네놈에게는 시간이 많이 있는 모양이다. 하지만 나는 시간이 없다. 유 노대를 죽인 자들에게 복수해야 하니까. 알겠느냐? 복수를 하기 전까지는 마음껏 울 시간도 없단 말이다."

넋이 나가 있던 설벽린의 눈동자에 천천히 빛이 되돌아오기 시작했다. 그는 입술이 찢어질 정도로 힘껏 깨물면서 고개를 끄덕였다.

"알겠습니다, 만해 사부. 더는 울지 않겠습니다. 저 역시 시간이 부족하니까요."

설벽린은 그렇게 말하며 양손으로 좌석을 짚고 몸을 일
으키려 했다. 다음 순간, 그의 왼쪽 손목이 반대편으로
꺾어지면서 옆으로 꼬꾸라졌다.

구 약당주가 깜짝 놀라며 소리쳤다.

"그렇게 갑자기 힘을 주면 안 됩니다!"

설벽린은 영문도 모른 채 구 약당주의 얼굴을 쳐다보다
가 무심코 제 왼쪽 손으로 시선을 돌렸다. 이내 그의 얼
굴이 처참하게 일그러졌다.

"이게 뭐야?"

잘려 나간 손을 봉합했던 부위가 설벽린이 갑작스레 힘
을 주는 바람에 실밥이 터져 반으로 갈라지고 피가 흘러
나왔다.

설벽린은 이해가 가지 않는다는 눈빛으로 제 손목을 내
려다보았다.

"내 손이 왜 이러는데?"

모든 사람들이 차마 입을 열지 못하고 침묵하는 가운
데, 설벽린은 의아하다는 듯이 중얼거리다가 뒤늦게 제
손이 잘려 나갔던 기억이 떠오른 듯, 그리고 뒤늦게 고통
이 찾아온 듯 외마디 비명을 터뜨렸다.

"악!"

하지만 그는 이내 이를 악물며 신음을 삼켰다. 그는 땀

까지 뻘뻘 흘리면서도 더 이상 고통스러운 표정을 짓지 않았다.

유 노대가 죽었는데 겨우 손 하나 잘린 것으로 오두방 정을 떨 수는 없다는 결연한 의지의 빛이 그의 전신에서 뿜어져 나왔다.

서늘한 눈빛으로 그런 설벽린을 내려다보던 만해거사 가 한숨을 내쉬며 말했다.

"네 그 손은 망가졌다. 더는 사용할 수 없게 된 게지."

"만해 사부……."

장예추가 조심스러운 목소리로 만해거사를 불렀다. 하 지만 만해거사는 개의치 않고 계속해서 말을 이어 나갔 다.

"여기 있는 구 약당주와 내가 최선을 다해 봉합해 보았 지만, 잘린 손을 살리는 건 결국 실패했지. 그러니 차라 리 의수(義手)가 나을 것이다."

설벽린은 아무 말 없이, 입술을 꼭 깨문 채 제 반쯤 잘 린 손목을 내려다보고 있었다.

"의수라고 해서 간단하게 생각하면 안 된다. 네 녀석에 게 그럴 의지와 노력과 끈기만 있다면, 네 잘려 나간 손보 다 훨씬 더 자유자재로 의수를 사용할 수 있을 테니까."

만해거사는 조금은 부드러워진 목소리로 말했다.

"하지만 이곳은 시설도 미약하고 재료도 없어서 의수

를 만들 수 없다. 그러니 우리가 북⋯⋯."

"만해 사부!"

강만리가 깜짝 놀라 소리쳤다.

만해거사는 무슨 일이냐는 듯이 뒤를 돌아보았다. 그러고는 마차 한쪽 좌석에 누워 있는 천소유를 발견하고는 알았다는 듯이 고개를 끄덕이며 입을 열었다.

"죽이면 될 게 아니냐?"

"만해 사부!"

이번에는 장예추가 놀라 소리쳤다. 만해거사는 살짝 고개를 갸웃거리며 말했다.

"왜? 결국 저 계집은 내 벗을 죽게 만든 원흉이라 할 수 있다. 유 노대를 죽인 자들은 그녀의 명령을 받아 움직였으니까 말이지. 그런데 왜? 왜 살려 두는 게지?"

장예추가 머뭇거릴 때 강만리가 한숨을 쉬며 입을 열었다.

"아직 죽일 때가 아니기 때문입니다."

"왜?"

"지금 그녀를 죽이면 세상 모든 무림인들이 우리의 적이 되니까요."

강만리는 차분한 어조로 설명했다.

"무엇보다 그녀를 죽이게 되면 세상 사람들로부터 신의(信義)를 잃게 됩니다. 태극천맹과 오대가문은 물론 중도라 할 수 있는 신주오대세가나 구파일방까지 우리를

외면하게 될 겁니다. 그야말로 무림의 공적(公敵)이 되는
셈이죠. 한 번 풀어 주겠다고 약속한 인질을 죽이는 건
그런 각오가 없지 않은 한, 결코 하면 안 되는 짓입니다."

"흐음."

만해거사는 마땅치 않다는 듯한 소리를 내면서 천소유
를 바라보다가 고개를 끄덕였다.

"알겠네. 내가 참지. 지금은 저 계집을 죽일 때가 아니
니까. 하지만 이번 한 번만 참는 걸세."

강만리는 내심 안도의 한숨을 쉬면서 대답했다.

"물론입니다. 원래 두 번은 참을 필요가 없는 거니까요."

그때였다.

"으음."

미약한, 너무나도 희미해서 근처에 있던 구 약당주나
담호초자 미처 알아차리지 못할 정도의 신음이 여태껏
죽은 듯 누워 있기만 하던 화군악의 입에서 새어 나왔다.

일순 강만리와 장예추를 비롯한 사람들의 얼굴이 딱딱
하게 굳어졌다.

2. 의지와 신념

그것은 실로 기묘한 기분이었다.

아주 오랜 여정을 마친 것 같았다. 또 잠깐 눈을 붙였다가 뗀 듯한 기분이기도 했다. 온몸이 둥둥 떠 구름 위에 있는 것 같기도 했고 아주 깊은 해저에 푹 가라앉은 것 같기도 했다.

화군악은 억지로 눈을 깜빡였다. 몸에 힘이 들어가지 않아서, 그렇게 눈을 깜빡이는 것조차 힘들 지경이었다.

'마치 잔뜩 물먹은 솜 같군그래.'

화군악은 속으로 중얼거리며 피식 웃으려 했다. 하지만 그의 굳어진 입가는 전혀 움직이지 않았다.

그런 화군악의 귓전으로 꿈결처럼 몽롱하고 희미한 누군가의 목소리들이 자장가처럼 들렸다가 사라지기를 반복하고 있었다.

"조심하게."

"아직 정신이 제대로 돌아온 것 같지는 않습니다. 조금 더 상태를 확인해야 할 것 같습니다."

"이봐, 내 말이 들려? 내가 보여?"

"서두르지 맙시다. 구 약당주와 만해 사부께 맡기기로 하고 조금 흥분을 가라앉힙시다."

"이제 다 나은 건가요, 화 숙부는?"

화군악은 그 울먹거리는 목소리의 주인이 누구인지 알 것 같았다.

'담호, 나는 네가 걱정할 정도로 나약한 숙부가 아니란다.'

그는 미소를 지으며 말했다.

-그럼, 다 나았지.

물론 그의 목소리는 공기 방울이 되어 흔적도 없이 사라졌다.

화군악은 내심 고개를 갸웃거렸다.

'아니, 그러고 보니 내가 언제 다치기라도 했다는 건가? 왜 다 나았느냐고 묻는 거지?'

화군악은 의식이 불투명한 가운데, 애써 한 가닥 기억의 끈을 붙잡으며 지금 자신의 상황을 파악하려 했다.

이윽고 기억이 났다. 누군가의 암습에 의해 독에 중독되었다는 사실이, 쓰러져 있던 자신을 장예추가 마구 흔들어 깨웠던 사실이, 희미하게 안개 속 희뿌연 그림자처럼 떠오르고 있었다.

'그래. 극독에 당해 쓰러졌었지.'

화군악은 다시 한번 피식 웃었다.

'정말 생명력 하나는 타고났다니까. 나보다 질긴 생명력을 가진 사람이 있으면 나와 보라고 해.'

죽을 줄로만 알았다.

그러나 보란 듯이 이렇게 살아남았다. 그게 탯줄을 단 채로 버려졌지만 그래도 저 시장통 한구석에서 끝까지 버티고 살아남았던, 소독아의 끈질긴 생명력인 것이다.

'가만있자. 아직 내가 완벽하게 살아난 건 아닌가 보네.

사람들이 저렇게 걱정하는 걸 보면 말이지.'

화군악은 한없이 졸린 걸 억지로 참으며 그렇게 상념의
끈을 이어 나갔다.

'지금 자면 다시 깰 수 없을지도 모르니까.'

화군악은 마치 비몽사몽(非夢似夢)을 헤매는 것처럼 어
느 게 현실이고 어느 게 꿈인지 모르는 상황에서도 자신
이 해야 할 일을, 자신만이 할 수 있는 일을 찾으려고 노
력했다.

'우선 어디가 문제인지부터 살펴봐야 한다.'

화군악은 그렇게 생각하며 자신의 내와(內窩)를 들여다
보았다. 피부 속의 살과 근육, 그 속의 신경과 혈맥과 기
맥을 찬찬히 살피면서, 그는 단전에 잠들어 있는 내기(內
氣)를 깨워 움직이고자 했다. 운기조식을 통해 스스로를
치유하고자 하는 것이었다.

단전은 호수였고, 진기(眞氣)는 물이었다. 기맥은 물줄
기였으며, 그 물줄기를 따라 물이 사통팔달 흐르게 하는
것이 곧 운기조식이었다.

단전의 진기가 물줄기를 따라 오장육부 사지백해(四肢
百骸)로 흘러들면서 골육근맥(骨肉筋脈)을 일깨우고 오
관구규(五官九竅)의 기능을 되찾게 만들면, 그때는 지금
의 가사(假死) 상태에서 깨어나 제정신을 차리고 말을 할
수 있게 될 터였다.

하지만 단전의 내기는 쉽게 움직이지 않았다. 오랫동안 사용하지 않아서 딱딱하게 굳어 버린 것처럼, 꽁꽁 언 호수의 얼음에 갇힌 것처럼 단전에서 벗어나 기맥을 타고 흐를 생각을 하지 않았다.

'자고 싶어.'

문득 화군악은 그렇게 생각했다.

몸은 한없이 늘어졌고 머릿속은 희뿌연 안개에 휩싸인 듯 제대로 사고를 할 수가 없는 가운데, 잠의 유혹은 쉬지 않고 그를 엄습해 왔다.

'푹 쉬고 푹 자고 일어나는 거야. 그때는 운기조식을 할 수 있을 거야.'

누군가 달콤한 목소리로 그의 심장에 대고, 그의 머릿속에서 말을 건넸다. 오뉴월의 바람처럼 살랑이고 폭신한 담요처럼 부드러워서 그대로 쓰러져 잠들 것만 같은 유혹의 목소리였다.

'그럼 조금 자고 다시 일어날까?'

화군악이 마침내 그렇게 생각할 때였다.

"이 녀석이 깨어나도 한동안은 유 노대가 죽었다는 사실을 알리지 말게. 안 그래도 심신이 허약할 텐데 거기에 심적 타격까지 받게 되면 버티지 못할 수도 있으니 말이야."

누군가 늙수그레한 음성으로 그렇게 이야기하는 소리

가 한밤중 강물 흐르는 소리처럼 퍼졌다. 막 잠들려고 하던 화군악의 정신이 화들짝 놀라 깨어났다.

'응? 누가 죽었다고? 설마 유 노대가? 진짜야?'

가뜩이나 꿈과 현실의 경계가 명확하지 않은 상황이었다. 지금 들은 목소리가 환청인지, 실제 목소리인지도 구분이 가지 않았다.

그러나 화군악은 지금 잠을 잘 때가 아니라고 생각했다. 그는 어떻게든 정신을 차리고 다시 내공을 운기하려고 노력했다.

그러던 어느 한순간이었다.

문득 그의 뇌리에 수백 수천 가닥의 검선(劍線)이 떠올랐다. 무당산 무애암(無涯巖)에 새겨져 있던, 저 옛날 장삼봉 진인이 심득을 얻는 그 찰나의 순간에 펼쳤던 검무(劍舞)의 흔적이었다.

화군악은 저도 모르게 그 수백, 수천 가닥의 검선을 제 몸의 기맥과 혈맥과 연관시켰다.

석상처럼 움직이지 않던 장삼봉 진인이 불현듯 일필휘지로 글을 쓰든 검을 휘두르기 시작했다. 마음이 움직이는 대로 검은 따라 흐르고 그 검이 가는 길은 곧 하나의 초(招)가 되었으며, 그 수많은 검의 길들이 모여 식(式)이 만들어졌다.

화군악은 그 검이 가는 길을 따라 마음속의 검을 휘두

르기 시작했다. 곧 그는 자신의 몸속에서 검무를 추고 있었다.

검무는 한없이 이어졌다. 화군악은 내외(內外)의 모든 걸 잊은 채 무아지경에 빠져들었다.

그랬다.

그것은 바로 몰아(沒我)의 경지(境地).

어느새 그는 현실과 꿈의 경계를 구분하지 않은 채, 정신과 육체의 경계를 가르지 않은 채 오로지 한몸, 한뜻으로 무형(無形)의 검을 휘둘렀고 마음속의 검으로 춤을 추었다.

어느 순간부터일까. 꽁꽁 얼어붙어 있던 호수가 화군악의 춤사위로 녹아들기라도 한 것인지 문득 단전 속에 잠들어 있던 진기가 꿈틀거렸다.

단전의 진기는 화군악의 검무에 따라 물길을 새롭게 만들며 흐르기 시작했다. 그것은 일반적인 운공(運功) 방식과는 전혀 다른 흐름이었고, 곧 화군악은 자유자재로 진기의 움직임을 조절할 수가 있게 되었다.

화군악은 곳곳이 막히고 끊어지고 부서져 있던 기맥 밖에서 진기를 움직이며 기맥을 보수하기 시작했다. 막힌 곳은 뚫고 끊어진 곳은 연결하고, 부서진 곳은 새롭게 만들어서 하나의 기맥으로 완성시켰다.

그게 전부가 아니었다. 화군악의 체내에는 아직도 곳곳에서 그의 몸을 갉아먹고 있는 독성(毒性)들이 남아 있었다.

화군악은 혈맥과 기맥을 이용하지 않고 새롭게 진기의 물길을 만들어 그 독성들을 한데 모았다. 이제 그 모은 독성을 체외로 몰아내면 되는 것이다.

그는 무의식 속에서도 그 독성을 어디로 내몰아야 할지 고민했다.

그 와중에 문득 구불구불한 길이 하나 보였다. 화군악은 거침없이 진기의 물길을 그곳으로 이었고, 독성은 그 물길을 따라 구불구불한 길로 흘러 나갔다.

한순간 그의 몸 밖으로 한 무더기의 검고 탁하며 고약한 악취를 풍기는 독성이 빠져나갔다. 동시에 사람들이 코를 쥐며 말하는 소리가 희미하게 들려왔다.

"으윽, 냄새!"

"이런, 이런. 어서 창문을 열게."

"아니, 이 녀석. 이곳에서 똥을 싸면 어떡하냐고?"

"아닙니다. 이건 좋은 징조입니다."

"우웩! 그렇다고 어떻게 그 똥 냄새를 맡고 그러시오?"

"체내의 불순물이 모두 똥과 함께 밖으로 배출된 것 같습니다. 심지어 남아 있던 독성까지 말입니다. 그래서 이토록 지독한 악취를 풍기는 겁니다."

"그렇다면 이제 군악은 완쾌되었다는 겁니까?"

"조금 더 추이를 지켜봐야겠지만 아마 그런 것 같습니다."

"아아, 고맙소. 정말 고맙소."

"아니, 그러니까 제가 한 일은 아닙니다. 아마도 지금 이 화 소협께서 스스로 자신의 몸을 치유하고 있는 게 아닐까 싶습니다."

"허어, 그게 가능하단 말인가?"

"그만큼 살겠다는 의지와 신념이 강한 것 같습니다. 정말이지 믿어지지 않을 정도로 강인한 의지입니다."

'그렇겠지.'

화군악은 마치 아기를 낳고 탈진한 산모처럼 축 늘어진 상태에서도 피식 웃었다.

'나처럼 살아남겠다는 의지와 신념이 강한 놈은 또 없을 테니까 말이지.'

화군악은 그렇게 속으로 중얼거리면서 정신을 잃었다.

3. 배고파!

순식간에 마차 안은 지독한 똥 냄새로 가득 찼다.

"으윽, 구려."

담호는 저도 모르게 코를 쥐어 막으며 중얼거리다가 이내 머쓱한 표정을 지으며 황급히 입을 다물었다. 생선 썩는 악취보다도 더 고약한 냄새였지만 담호를 제외한 그 누구도, 심지어 초목아도 전혀 내색하지 않았던 것이다.

"어서 창문을 열게."

만해거사는 그렇게 말했고 장예추는 "이곳에서 똥을 싸면 어떡하냐고?" 하고 투덜거리면서 창문을 열었다. 혼절한 화군악이 똥을 지린 것에 대한 반응은 그게 전부였다.

담호는 힐끗 초목아를 바라보았다. 그저 살짝 이맛살을 모은 게 그녀의 반응 전부였다.

어쩌면 당연한 일이다. 초유동이 쓰러진 후 그의 병구완은 오로지 그녀의 몫이었으니까. 똥오줌을 받아 내고 씻기고 옷을 갈아입히는 그 모든 일을 그녀 혼자 해냈으니까. 이런 일에는 가히 전문가라 할 수 있었다.

담호는 담담한 표정의 초목아를 보고는 내심 부끄러워졌다. 너무 호들갑을 떤 게 아닌가 싶었다.

"자, 너희들은 밖으로 나가 있어라."

화군악이 지린 똥을 치우기 위해 옷을 벗기던 강만리가 뒤를 돌아보며 말했다. 초목아와 담호는 머뭇거리다가 마차 밖으로 나왔다.

깨끗한 공기가 폐부 깊숙하게 들어왔다. 저도 모르게 크게 숨을 들이마신 담호는 머쓱한 표정을 지으며 초목아를 돌아보았다. 하지만 마침 그녀도 크게 입을 벌린 채 맑고 깨끗한 공기를 한껏 들이마시고 있었다.

담호의 눈이 휘둥그레졌다.

'어라?'

몇 차례 숨을 크게 들이마신 초목아는 그제야 한숨을 돌렸다는 듯이 고개를 설레설레 흔들며 입을 열었다.

"그렇게 지독한 냄새는 처음이었어."

담호가 엉겁결에 물었다.

"너도 냄새를 맡았구나."

"내 코는 막혔다니?"

"아니, 그게 아니라 초 어르신의 병구완을 하면서 익숙해졌나 하고 생각했거든. 전혀 표정에 변화가 없어서."

"우리 사부도 저렇게까지 지독한 냄새를 풍기는 또……변을 보신 적은 없어."

초목아는 똥이라고 말하려다가 얼굴을 붉히며 얼른 변으로 말을 바꿨다.

"그렇다고 그 자리에서 '어휴, 냄새' 하면서 코를 막을 수는 없잖아? 누구처럼 말이지."

담호의 얼굴이 붉게 달아올랐다. 그는 머리를 굴리며 황급히 화제를 바꿨다.

"그런데 저렇게 고약한 냄새가 나는 건 위험하지 않을까?"

"아니, 그건 아니거든."

초목아는 고개를 저으며 말했다.

"사부께서 말씀하셨는데, 몸의 악기(惡氣), 독기(毒氣)

같은 게 배출될 때 저렇게 지독한 냄새가 난다는 거지.
그러니까 아마도 화 아저씨의 독기가 모두 배출되면서
나는 냄새일 거야."

담호의 얼굴이 밝아졌다.

"그럼 이제 곧 나으실 거네?"

"나야 잘 모르지."

초목아는 어깨를 으쓱거리면서 말했다.

"그건 저 안에 있는 어른들이 더 잘 알겠지."

"그래?"

담호가 살짝 아쉬운 표정을 지을 때였다.

마차 문이 왈칵 열리고 나찰염요와 일노가 부리나케 뛰
쳐나왔다.

그들의 손에는 예의 그 생선 썩는 냄새보다도 더 고약
한 악취를 풍기는 놈이 잔뜩 묻어 있는 수건과 베가 들려
있었다. 그들은 빠른 속도로 초목아와 담호의 곁을 지나
쳐 산등성이 아래, 졸졸졸 물소리가 들려오는 시냇가로
달려갔다.

담호와 초목아는 저도 모르게 서로를 돌아보았다.

* * *

"다행입니다. 그간 복용케 했던 약이 효능을 발휘하여

독기를 빠져나오게 한 것 같습니다."

약당주 구자육은 화군악의 아랫도리에 잔뜩 묻은 똥을 닦아내며 말했다.

"이렇게 막히고 고여 있던 독기가 한꺼번에 뻥 뚫리듯 몸 밖으로 쏟아지게 되면 그다음부터는 치료가 훨씬 수월해집니다. 이제 이 화 소협의 치유력과 복원력에 따라서 언제 일어나게 될지 결정되는 거죠."

"아, 천만다행이오."

강만리는 손을 쉬지 않고 놀리며 그렇게 말했다.

지금 강만리는 물론 담우천과 장예추도 구자육의 곁에 앉아서 인상을 찌푸린 채 수건과 베와 천으로 연신 똥을 닦아 내고 있었다.

화군악이 내지른 양이 얼마나 많은지, 서너 장의 수건과 베로는 절반도 채 닦아내지 못했다. 나찰염요와 일노는 그들이 사용한 천과 수건을 가지고 시냇가로 달려가 빨아 오기를 반복했다.

그렇게 나찰염요와 일노가 대여섯 번 시냇가를 왕복한 후에야 비로소 화군악에게 새로운 바지를 갈아입힐 수 있었다. 사람들은 여전히 악취가 진동하는 마차 안에서 길게 한숨을 토해 냈다.

한편 화군악의 맥문을 짚고 있던 만해거사가 "허!" 하면서 고개를 갸우뚱거렸다.

"희한한 일이로구나."

강만리가 다급하게 물었다.

"뭐가 희한합니까?"

"이 녀석, 다 나았는데?"

"정말입니까?"

이마의 땀을 닦으며 잠시 쉬고 있던 구자욱이 깜짝 놀라 다급하게 화군악의 맥문을 짚었다. 신중하고 진지한 눈빛으로 맥이 뛰는 걸 지켜보던 구자욱의 눈이 이내 화등잔만 하게 커졌다.

"정말인데요? 맥이 뛰는 속도나 압력과 체적의 변화가 모두 정상입니다. 완치되었다고 해도 과언이 아닌데요? 도대체 어찌 된 영문일까요? 한 번 독기를 쏟아 냈다고 해서 이렇게까지 완치될 리는 없는데."

"그러니까 말일세. 아무래도 이 녀석의 치유력과 복원력이 생각보다 훨씬 강인한 모양인 것 같네."

두 의생의 대화를 가만히 듣고 있던 강만리가 빙긋 미소를 지으며 끼어들었다.

"하기야 저 녀석만큼 삶에 대한 집착과 끈질긴 욕구를 가진 사람이 드물기는 하죠. 듣기로는 탯줄이 달린 채 시장통 한구석에 버려졌지만, 끝까지 살아남았다고 하니까요. 결코 쉽게 죽을 녀석이 아닙니다."

"흠, 어쨌든 궁금하군그래. 혼절해 있는 동안 이 녀석의 몸에 무슨 변화가 있었는지, 어떻게 갑자기 회복하게 되었는지 말이야."

"저도 궁금합니다. 제가 만들어 복용케 한 약의 효과도 무시할 수는 없겠지만, 그렇다고 이렇게까지 뛰어난 치료 효과는 기대하지 않았거든요."

"음? 그거 너무 자찬하는 게 아닌가?"

"사실이 그런데요."

"허어."

만해거사는 어이가 없다는 눈빛으로 젊은 의생을 바라보며 말했다.

"자네가 그렇게 오만한 성격인지는 미처 몰랐군그래."

구자육은 자신보다 두 배 이상 오래 산 노의생을 향해 당당하게 말했다.

"전혀 과장하지 않은, 사실 그대로를 말씀드린 것뿐입니다. 다른 거야 얼마든지 겸손하고 예를 갖출 수 있지만, 의술에서만큼은 전혀 그럴 필요가 없습니다. 사람의 목숨이 달려 있으니까요."

잠시 입을 벌린 채로 구자육을 바라보던 만해거사는 고개를 끄덕이며 말했다.

"그래. 그건 맞는 말이지. 사람의 목숨을 다루는 의술 앞에서 교만하거나 오만하면 안 되고, 반대로 겸손하거나 과소평가를 하는 것도 안 되지. 있는 그대로, 사실 그대로 직시하여 평가해야 하는 게지."

"아니, 그건 나중에 두 분이서 따로 이야기하시고요."

듣고 있던 강만리가 답답하다는 듯이 끼어들었다.

"다 나았다면서, 완치되었다면서 왜 군악이 아직 깨어나지 못하는 겁니까? 왜 계속 혼절 상태에 있는 겁니까?"

"혼절 상태라기보다……."

만해거사가 강만리를 돌아보며 말했다.

"지금 이 녀석, 푹 자고 있는 중일세."

"네?"

강만리의 눈이 커질 때, 구자육이 만해거사의 말에 맞장구를 쳤다.

"맞습니다. 오랫동안 꽤 힘들고 지친 일을 한 것처럼 아주 깊게 곯아떨어졌습니다. 아마두 한두 시진 정도는 이렇게 푹 주무실 것 같네요."

"허!"

강만리는 어이가 없었다.

* * *

마차 안에 가득 찼던 고약한 냄새가 빠지는 데 두어 시진이나 걸렸다.

그동안 일노는 산 아래로 내려가 음식과 물과 술, 그리고 의복까지 구해 왔다. 나찰염요를 비롯한 사람들은 차례로 시냇가에서 멱을 감으며 몸에 밴 그 지독한 냄새를 지웠다.

해는 서쪽으로 뉘엿뉘엿 지기 시작했다.

사람들은 산등성이 공터에 둘러앉아서, 일노가 구해 온 음식을 먹고 술을 마셨다.

꽤 긴 하루였고 또 아주 중노동을 한 것처럼 몸과 마음이 지쳐 있던 까닭에 음식은 그 어느 때보다도 술은 그 어느 때보다도 달콤했다. 술을 마실 때마다 몸이 씻겨 내려가는 것 같았으며 외려 정신이 맑아졌다.

그렇게 그들이 서로 별다른 대화 없이, 그저 만두를 집어 먹고 고기를 먹으며 술을 마시고 있을 때였다.

마차 안에서 가느다란 비명 같은 소리가, 신음 같은 고함이, 한숨 같은 외침이 희미하게 들려왔다.

"배고파!"

화군악이 깨어난 것이다.

7장.
모래알도 모으면

물론 원래 그는 살갑고 정겨운 성격은 아니었다.
화군악처럼 쉽게 사람을 사귀지도, 설벽린처럼 농을 즐겨 하지도 않았다.

1. 야숙(野宿)

정신을 차리자마자 배고프다고 소리를 질렀지만 화군 악은 아무것도 먹을 수가 없었다.

독에 중독된 채 정신을 잃고 있던 동안 약물로 겨우 생명을 지탱하던 그였다. 정신을 차렸다고 해서 고기나 만두를 마구 먹을 수 있을 정도로 회복한 건 아니었다.

결국 그가 먹을 수 있는 건 구자육이 배합해 만든 약물뿐이었다.

"그래도 영양가는 높습니다. 이삼 일 정도 먹으면서 체력을 회복하면 그때는 마음껏 식사하실 수 있을 겁니다."

구자육의 차분한 설명에도 불구하고 화군악은 볼멘 표

정을 지우지 않았다.

"먹지 못해서 슬퍼하지 말고 살아난 걸 천만다행으로 여겨라. 예추나 만해 사부, 구 당주가 아니었다면 넌 이미 오래전에 죽은 목숨이니까."

강만리는 눈살을 찌푸리며 구박하듯 말했다. 화군악은 강만리를 노려보듯 쳐다보다가 한숨을 쉬며 입을 열었다.

"오늘은 어쩔 수 없지만 내일은 꼭 밥을 먹을 겁니다."

속삭이듯 흘러나온 음성이었지만 강만리는 제대로 알아들었다는 듯이 고개를 끄덕이며 말했다.

"그래. 내일은 고기를 먹여 주마. 아주 신선한 고기를 말이다."

구자욱이 불안하다는 표정을 지으며 말을 받았다.

"하지만 그러기에는 아직 화 소협의 체력이……."

"괜찮소. 이 녀석이 먹고 싶다고 하니 먹이면 되는 것이오. 가만있자, 이렇게 낮은 산에 사슴 같은 게 있으려나?"

강만리의 중얼거림을 들었는지 마차 밖에서 일노가 대답했다.

"나중에 제가 찾아보겠습니다."

"그러시겠소? 부탁하오."

강만리와 일노의 대화를 듣고 있던 화군악은 눈을 동그

랗게 뜨며 물었다.

"방금 그 사람은 누구죠? 그리고 이 의생은 또 누구고요. 게다가 이 마차는 뭡니까? 이렇게 크고 훌륭한 마차는 생전 처음 보는데요."

여전히 화군악의 목소리는 쉽게 알아들을 수 없을 정도로 미미하게 새어 나왔다. 강만리는 가볍게 한숨을 내쉰 후 천천히 말했다.

"네가 혼절해 있는 동안 꽤 많은 일이 있었지."

화군악은 눈빛을 반짝이며 말했다.

"무슨 일이 있었는데요?"

"그게 그러니까 말이다."

강만리는 침착한 어조로 그간 있었던 일들에 대해서 처음부터 끝까지 이야기했다. 물론 만해거사의 조언대로 유 노대가 죽었다는 이야기는 중간에 빼놓았다.

하지만 화군악은 이미 그 사실을 알고 있는 듯했다. 그는 마차를 둘러보며 나지막한 목소리로 물었다.

"유 사부는…… 돌아가셨습니까?"

일순 강만리는 입을 다물었다. 사람들 모두 침묵했다.

"으아악!"

구석진 자리에 쪼그리고 앉아 있던 설벽린이 미친 듯이 소리를 내질렀다.

화군악의 얼굴이 딱딱하게 굳어 갔다.

　　　　　　　*　*　*

　사람은 누구나 일을 계획하고 계획한 대로 일을 진행한
다.

　하지만 그 일이 계획한 그대로 진행되는 경우는 단 한
번도 없다. 계획이 진행되는 동안 사소하건 크건, 반드시
차질이 생기는 불상사가 일어나기 마련이다. 진인사대천
명(盡人事待天命)은 그래서 생긴 말이었다.

　그건 강만리도 마찬가지였다.

　언제 적들이 쫓아올지 모르는 이 다급한 상황에서 이름
모를 산등성이에서 하루를 묵는다는 건 전혀 예상하지
않았던 일이다.

　그러나 이제 막 정신을 차린 화군악이 안정을 되찾고
한숨을 돌리기 위해서라도, 그리고 강만리의 이야기로
얻게 된 충격에서 빠져나오기 위해서라도 하룻밤의 여유
는 반드시 가져야 했다.

　그래서 강만리 일행은 금릉 월아원을 빠져나온 이후 처
음으로 야숙을 하게 되었다.

　밤은 깊었다. 달빛이 처량하게 비치는 가운데 멀리서
밤세 우는 소리가 들렸다. 사위가 조용하고 모두들 잠든
듯 고요한 가운데, 마차에서는 누군가 훌쩍거리는 소리

가 희미하게 들려왔다.

화군악이었다. 화군악은 행여 누가 들을까 봐 소리 죽여 울고 있었다.

마차 안의 사람들은 이미 잠든 듯 누구 하나 입을 여는 이가 없었다. 미친 듯이 소리를 질렀던 설벽린도 수혈이 짚인 채 깊게 잠들어 있었다.

하지만 다들 잠자리가 뒤숭숭한 듯, 몇 번이고 몸을 뒤적이는 소리가 이곳저곳에서 들려왔다.

그렇게 우울한 밤이 지나고 새벽이 되었을 때, 마차의 문이 살그머니 열리고 강만리가 걸어 나왔다. 그는 행여 잠들어 있는 이들이 깨기라도 할까 봐 아주 조심스럽게 문을 닫고는 늘어지게 기지개를 켰다.

밤새 훌쩍거리는 화군악 때문에 좀처럼 잠을 잘 수 없었던 것이다. 당연히 몸은 찌뿌둥했고 머릿속은 한껏 헝클어져 있었다.

강만리는 정신을 차리기 위해 몸을 이리저리 비틀다가 문득 공터 한쪽을 보고는 눈을 휘둥그레 떴다.

자신이 제일 먼저 일어난 줄 알았더니 그게 아니었던 게다. 공터 저쪽에는 장예추가 모닥불을 지피고 있었다. 유월이라고는 하지만 새벽의 산등성이는 상당히 싸늘했다.

"벌써 일어났나?"

강만리는 어슬렁거리며 그에게 다가갔다. 장예추는 한쪽에 모아 둔 나뭇가지로 불씨를 키우며 대답했다.

"잠을 자지 못했습니다."

"그건 나도 마찬가지야. 아니, 다들 새벽까지 잠을 이루지 못했을 거네."

강만리는 주위를 둘러보았다.

먼 하늘부터 천천히 동이 트고 있었다. 사방이 어둠에서 깨어나고 있었다. 그러고 보니 마부석에 있어야 할 일노의 모습도 보이지 않았다. 어쩌면 새벽 일찍, 사슴을 잡으러 나선 것일지도 몰랐다.

"그래도 산이 낮고 골이 얕으니 산적 같은 건 없겠지. 물론 사슴도 없고 말이지."

강만리가 중얼거렸다. 막 불꽃이 이는 모닥불에 마른 나뭇가지들을 올려 쌓던 장예추가 그 말을 받았다.

"그건 잘 모르겠습니다. 요즘 산적이라는 게 산과 골을 가리지 않으니까요."

"여튼 귀찮은 건 싫다."

"그게 어디 뜻대로 된답니까?"

"하기야 오늘 이런 곳에서 하룻밤 묵을 거라고는 전혀 생각하지도 않았으니까. 젠장. 정말이지 내 뜻대로 되는 게 하나도 없다니까."

"그래도 군악이 정신을 차려서 정말 다행이지 않습니까?"

"그야 그렇지. 그나저나 그 녀석, 유 사부의 소식을 듣고 밤새도록 우는 것 같던데 괜찮을까?"

"괜찮을 겁니다. 정신력 하나 만큼은 우리들 중에서도 가장 강한 녀석이니까요. 금방 회복할 겁니다. 어쩌면 당장 자리에서 일어나 복수하러 가자고 할지도 모르죠. 저는 외려 설 형님이 더 걱정됩니다."

"흠. 그야 그렇지. 녀석을 지키려다가 유 사부가 죽었으니까. 거기에 손 하나가 잘렸으니까."

"나중에 형님이 잘 좀 말씀해 주세요."

"내가 뭐 할 말이 있겠나?"

강만리는 게서 말을 멈췄다. 누군가 이쪽으로 다가오는 기척을 느꼈던 까닭이었다.

일노였다. 그는 핏물 뚝뚝 떨어지는 사슴 한 마리를 어깨에 걸친 채 산길을 내려왔다.

강만리가 그를 돌아보며 물었다.

"진짜 이렇게 낮은 산에도 사슴이 있었소?"

일노는 정중하지만 무뚝뚝한 목소리로 말했다.

"다행히 있더군요."

장예추가 중얼거렸다.

"그렇다면 산적도 있겠네요."

강만리는 낮은 한숨을 쉬며 장예추를 바라보았다. 모닥불 근처로 다가온 일노는 가볍게 사슴을 땅에 내려놓았다. 강만리는 저도 모르게 눈살을 찌푸렸다.

이미 해체 작업을 끝낸 사슴은 섬뜩할 정도로 붉은 살점과 근육을 적나라하게 드러낸 상태였다. 사슴의 새까만 눈동자가 초점 없이 강만리를 쳐다보고 있었다. 절로 몸이 부르르 떨렸다.

하지만 장예추는 태연하게 사슴의 상태를 살폈다. 이곳으로 가지고 오기 전 일노가 이미 내장을 제거하고 핏물을 빼 둔 탓에 그대로 굽기만 하면 되었다.

"아주 깨끗하게 하셨군요. 어지간한 사냥꾼보다 훨씬 솜씨가 좋으십니다."

장예추가 감탄하듯 말했다.

"아주 사냥에 능숙하신가 봅니다."

일노는 굵은 나뭇가지로 지지대를 만들면서 대답했다.

"어르신께서 좋아하셨습니다."

그가 말하는 어르신은 곧 금적산 홍진보를 가리키는 것이다. 일순 장예추와 강만리의 얼굴이 살짝 딱딱해졌지만 일노는 전혀 개의치 않고 말을 이어 나갔다.

"바쁘신 와중에도 보름에 한 번 정도는 사냥을 나가셨습니다. 물론 사냥은 우리가 했습니다만, 이렇게 바로잡은 사냥감을 처리하여 드시는 걸 꽤 즐기셨습니다."

"흠, 온갖 산해진미를 매일처럼 먹으면서도 이런 소박한 식사를 좋아했다니."

"원래 그런 법이잖습니까? 하얀 쌀밥에 고기만 먹다 보면 가끔 산나물도 먹고 싶어지는 거죠."

"허험."

강만리가 헛기침을 했다.

사실 일노의 말은 부인 몰래 계집질을 할 때 즐겨 사용하는 비유였다.

일노는 능숙한 솜씨로 지지대를 만든 후, 사슴을 대에 꽂아 그 지지대 위에 올렸다. 사슴은 곧 지글거리는 소리와 함께 구워지기 시작했다.

일노는 그 곁에 앉아서 묵묵히 사슴이 제대로 구워지는지 지켜보았다. 강만리는 어색하게 앉아 있다가 슬그머니 자리에서 일어나려고 했다.

그때였다.

갑작스러운 일노의 말이 그의 발길을 잡았다.

"저에 대해서는 너무 신경 쓰지 않으셔도 됩니다."

2. 일노(一奴)

강만리는 엉거주춤한 자세로 그를 돌아보았다. 일노는 여전히 사슴에게서 시선을 떼지 않은 채로 말했다.

"저는 오직 명령에 충실할 따름입니다. 어르신께서 나

리들께 저를 선물로 준 이상, 그리고 나리들을 주인으로 모시라는 명령이 떨어진 이상, 제 주인은 이미 어르신이 아니라 나리들이시니까요."

강만리는 잠자코 듣다가 흥미가 생겼는지 다시 자리에 앉으며 입을 열었다.

"일을 끝내면 금적산에게 되돌아갈 생각이 아니었소?"

"되돌아오라는 명령은 없었습니다. 그리고 제가 명령을 따라야 할 분들은 나리들이시니까요."

"그렇다면 앞으로 무조건 우리의 지시에 따르겠다, 이 말이오?"

"그렇습니다."

"만에 하나 우리가 금적산을 죽이라고 명령을 내린다면?"

"당연히 그 명령에 따르겠습니다."

"흐음."

강만리는 엉덩이를 긁적이며 미묘한 표정을 지었다. 잠시 생각하던 그는 일노에게 불쑥 질문을 던졌다.

"그렇다면 한 가지 묻겠소. 지금까지 우리가 먹고 마셨던 음식과 술은 어떻게 가져온 것이오?"

일노는 망설이지 않고 대답했다.

"건포와 마른 과일, 건량 등은 미리 마차에 준비해 두었습니다."

"마차 어디?"

"마부석 밑의 궤짝에 가득 채워져 있습니다."

"아아."

강만리는 그제야 의문이 풀린 표정을 지었다.

여덟 필의 말이 끄는 마차인 만큼 마부석도 상당히 크고 높았다. 그 아래를 통으로 터서 궤짝을 만들었다면, 몇 달 치 건량을 넣어 두기에 충분할 크기였다.

일노는 계속해서 말을 이었다.

"그리고 마차 뒤쪽의 짐칸에도 옷과 이불만 있는 게 아닙니다. 곳곳에 감춰진 서랍을 열면 그 안에 어지간한 도구들은 다 준비되어 있습니다. 술과 물은 물론, 식칼이나 가위나 바늘이나 실 같은 것들도 있습니다."

"허어."

"우육탕과 오리구이 같은 일반 음식들은 관도 근처의 마을 객잔이나 주루에서 사 옵니다. 마차를 몰면서 관도를 달리다가 마땅한 마을이 보이면 눈여겨봐 두었다가, 잠시 휴식을 취할 때 그 마을까지 달려가서 사서 옵니다."

"그랬구려."

강만리는 고개를 끄덕였다.

금적산의 다른 하인들이 마차를 뒤쫓으며 필요한 물건들을 그때그때 일노에게 넘겨주는 게 아닐까 의문을 품었던 게 부끄러울 정도의 솔직하고 단순한 대답이었다.

듣고 있던 장예추가 불쑥 입을 열었다.

"경공술이 아주 뛰어나신 모양입니다. 그 짧은 시간에 지나쳤던 마을까지 달려가서 술과 음식을 사서 돌아올 정도면 말입니다."

장예추의 말에 일노는 무덤덤한 얼굴로 말했다.

"어르신의 마차를 몰 때부터 해 왔던 일이라…… 익숙해져서 그런 것뿐입니다."

"그렇소?"

강만리는 고개를 갸웃거렸다.

기껏해야 일각 정도의 짧은 시간이었다. 그동안 십여 리 밖의 마을로 달려간 다음, 그 마을의 객잔이나 주루를 찾아서 음식을 주문하고 음식이 나올 때까지 기다렸다가 가지고 돌아와야 하는 일이다.

그건 아무리 익숙해졌다고는 하지만 절대 말처럼 쉬운 일이 아니었다. 역시 어지간한 경공술이 받쳐 주지 않는 이상에는 결코 할 수 없는 일이었다.

게다가 일노는 금적산이 공언한 고수였다. 그것도 저 추격대 고수들과 맞서 싸울 수 있을 정도의 엄청난 무위를 지닌 고수였다.

그리고 그건 강만리나 장예추 모두 익히 알고 있었다. 그러니 굳이 경공술이 뛰어나다는 걸 숨길 이유가 전혀 없는 것이다.

하지만 강만리와 장예추는 더 이상 묻지 않았다.

'하기야 그만한 고수가 금적산의 하인 노릇을 하고 있다는 것부터가 평범한 일은 아니니까.'

어쩌면 남에게 이야기하기에는 너무나도 부끄럽고 수치스러운 속사정이 있을지 몰랐다. 그리고 일노가 그 속사정을 애써 감추고자 하는 이상 굳이 더 물어볼 이유가 없었다.

날은 개었다. 사방이 환해져서 주변 경관이 확실하게 보였다. 멀리 파양호의 푸른 물결도 보였다. 산의 맑고 시원한 공기가 폐부 깊숙하게 흘러들었다.

제법 시간이 흘렀고, 사슴은 절로 코를 벌름거리게 할 정도의 냄새를 풍기며 잘 구워졌다.

일노는 허리춤에서 단도 한 자루를 꺼내 사슴의 뒷다리 살점을 베어 내 한 입 씹었다. 잠시 질겅거리며 씹던 그는 이내 꿀꺽 살점을 삼키고 강만리에게 말했다.

"속까지는 몰라도 겉은 다 익었습니다. 나리들 모두 충분히 드실 수 있는 양입니다."

"그렇소? 그럼 다들 불러와야지."

"제가 가겠습니다."

일노는 자리에서 일어나 마차로 향했다.

강만리는 그 뒷모습을 물끄러미 지켜보다가 중얼거리

듯 장예추에게 말을 건넸다.

"믿을 수 있을까?"

장예추는 조용히 대답했다.

"뭐, 아무래도 상관없을 것 같은데요."

강만리는 저도 모르게 장예추를 돌아보았다.

'흠. 확실히 이상해졌어, 이 녀석.'

아닌 게 아니라 천소유를 인질로 삼은 후부터, 아니 천소유와 마주친 후부터 그는 평소의 장예추가 아니었다.

물론 원래 그는 살갑고 정겨운 성격은 아니었다. 화군악처럼 쉽게 사람을 사귀지도, 설벽린처럼 농을 즐겨 하지도 않았다.

그러나 지금처럼 매사 무뚝뚝하고 무관심한 성격도 아니었다. 신중하면서도 세심한, 말 그대로 사냥꾼의 기질을 지닌 게 장예추였다.

지금은…… 사냥꾼은 절대 아니었다.

'그저 잠시 알던 사이는 아닌 게 확실해. 그녀의 오라버니를 죽여서 원수가 된 건 분명하지만……. 아니, 원수를 대하는 것치고는 왠지 예추 이 녀석을 쳐다보는 그녀의 눈빛이 조금 아린 것 같기도 하던데.'

강만리는 무심코 엉덩이를 긁적이며 생각했다.

하지만 그 상념은 오래가지 못했다. 일노가 마차 안의 사람들을 깨웠고, 한 무리의 사람들이 차례로 마차 밖으로 걸어 나왔기 때문이었다.

"오호, 냄새가 좋은걸. 소금만 친 게 아니라 향채와 향
신료까지 듬뿍 사용한 모양이로군."

만해거사가 짐짓 쾌활한 어조로 말하면서 코를 벌름거
리며 다가왔다. 그 뒤로 담우천과 나찰염요, 담호와 초목
아가 걸어 나왔다.

잠시 후 화군악이 일노에게 업힌 채 마차에서 나왔다.
화군악은 사내 등에 업혔다는 게 쑥스러운 듯 짜증을 부
렸다.

"걸을 수 있다니까요!"

하룻밤 푹 쉰 덕분이었을까, 아니면 구자육의 약물이
효과가 있었던 것일까. 그의 목소리에서도 제법 생기가
흘렀다.

"구 약당주가 한동안 걷지 못하게 하라 하셨습니다."

일노는 무뚝뚝하게 말하면서 성큼성큼 모닥불로 걸어
와 화군악을 내려놓았다.

"보세요!"

화군악은 땅을 굳게 디디고 버텨 서려고 했다.

하지만 다리에 전혀 힘이 실리지 않았다. 그는 이내 휘
청거리며 중심을 잃고 쓰러졌다. 일노가 얼른 그를 부축
해 자리에 앉혔다.

"쳇, 진짜 이러니까 병자 같네."

"그래. 넌 지금 병자야."

강만리는 화군악에게 한 소리를 한 다음 일노를 향해 물었다.

"벽린은?"

"식사할 생각이 없다고 하십니다."

"그런 게 어디 있어?"

강만리는 "흥!" 하고 코웃음을 친 다음 마차로 걸음을 옮겼다. 마차 안으로 들어서는 순간 강만리는 저도 모르게 콧잔등을 찌푸렸다.

지독한 냄새가, 어젯밤 화군악이 지렸던 똥냄새처럼 고약한 냄새가 스멀스멀 피어올랐던 까닭이었다.

"시신이 부패하는 것 같습니다."

구자욱이 땀을 뻘뻘 흘리며 짐칸에 있던 유 노대의 시신을 닦으면서 그렇게 말했다.

"이런."

강만리는 저도 모르게 한숨을 내쉬었다. 그는 고개를 돌려 앞쪽 좌석으로 시선을 향했다.

이 팔두마차의 내부는 크게 네 칸으로 구획이 되어 있었는데, 그중 세 칸은 침상으로 펼칠 수 있을 정도로 커다란 세 개의 좌석이 나란히 있었고, 마지막 칸은 서너 사람이 누울 수 있는 넓은 공간의 짐칸이었다.

그 세 개의 좌석 중 맨 앞쪽, 수혈을 짚인 천소유가 누워 있는 바로 옆자리에 설벽린이 쪼그린 채 앉아 있었다.

강만리는 눈을 부릅뜨며 말했다.

"예서 뭐하는 거야? 당장 나오지 않고!"

설벽린은 힘없이 말했다.

"밥 생각이 없다니까요."

"그래도 먹어."

"싫거든요."

"먹어. 먹을 생각이 없으면 예서 꺼져."

설벽린이 고개를 쳐들며 강만리를 노려보았다. 강만리도 지지 않고 그를 노려보며 말했다.

"지금 유 사부가 썩어 들어가고 있다. 그런데 너는 아직도 정신을 차리지 못하고 있는 게냐? 그렇게 마음이 약해서야 어떻게 복수를 할 생각이더냐?"

강만리의 호령은 추상(秋霜)같았으며, 한 마디 한 마디가 설벽린의 심장을 찔렀다.

3. 모래알 집단

"네 녀석 입으로 말하지 않았더냐? 유 사부의 유언, 끝까지 살아남으라고 말이다. 왜 살아남으라고 했겠느냐? 굶어 죽으라고? 이렇게 상심해서 마냥 우울해하고 의기

소침하고 자책하고 폐인처럼 굴라고? 유 사부를 떠올리며 매일 질질 짜라고? 그러라고 유 사부가 네 녀석을 위해 목숨을 바쳤던 게냐? 응, 그런 게냐?"

"형님! 말이 너무 심하십니다."

설벽린은 애써 소리쳤다. 하지만 이어지는 강만리의 호통이 더 컸다.

"개소리!"

설벽린은 움찔거리며 입을 다물어야만 했다. 강만리는 진짜로 화가 난 듯 좁쌀만 한 눈에 쌍심지를 돋우며 말했다.

"말이 심하다고? 아니, 네놈의 투정이, 엄살이, 응석이 더 심하고 아니꼽다! 아주 잘하는 짓이다! 어디서 감히 밥투정을 하고 있는 게냐!"

그의 쩌렁쩌렁한 목소리는 마차 밖까지 울려 퍼졌다. 깨작거리며 사슴 고기를 먹던 초목아가 놀라서 황급히 입안에 욱여넣었다. 화군악의 찡그린 얼굴이 부르르 떨리고 있었다.

강만리는 계속해서 소리쳤다.

"유 사부는 죽었다! 죽어서 생선 썩는 냄새를 풍기며 부패하고 있다! 이미 강을 건넜단 말이다! 아무리 후회하고 자책해도 소용없다는 게다! 그런데도 네놈은 그 아무 소용 없는 짓만 골라서 하는 게다! 그게 유 사부를 위한 거라고 생각하느냐? 진정 그리 생각한다면, 내 너와의 인연을 끊고 형제의 연도 끊어 버리마!"

강만리는 씩씩거리며 설벽린을 노려보았다. 설벽린은 고개를 푹 숙인 채 아무 말도 하지 않았다.

"도대체 이게 뭐냐 말이다!"

강만리는 분이 가라앉지 않은 듯, 아니면 말을 토해 내면서 더욱 성이 나는 듯, 아니면 그동안 쌓여 있던 울분이 한꺼번에 터진 듯 거친 목소리로 고함쳤다.

"겨우 이따위 정신력으로 저 태극천맹과 오대가문과 맞서 싸우겠다? 집어치워라! 어디 남들 모르는 곳에 숨어 들어가 평생 고개 박고 사는 게 낫겠다! 모래알도 이런 모래알이 없구나! 하나로 똘똘 뭉쳐 있어도 힘든 상황인데 다들 무슨 생각이 그리 많은지, 무슨 잡념이 그리 많은지 모르겠다. 네놈에게만 하는 이야기가 아니다! 군악도, 예추도 모두 마찬가지다!"

마차 밖에서 묵묵히 고기를 씹고 있던 장예추와 화군악이 움찔거렸다.

"아니, 나는 또 왜……."

화군악이 투덜거렸다.

강만리는 설벽린을 노려보며 씩씩거리다가 분을 참지 못하고 허공을 향해 주먹을 휘둘렀다.

그때 마차 문이 조심스레 열리고 담우천이 들어왔다.

강만리는 황급히 주먹을 거둬들였다. 그러고는 헛기침을 하며 고개를 숙였다.

"죄송합니다. 목소리가 조금 높았나 봅니다."

갈라진 목소리가 강만리의 입에서 흘러나왔다. 담우천은 강만리와 설벽린을 돌아보며 말했다.

"식사부터 하고 이야기하자. 사슴 고기가 맛있더라."

"네, 형님."

강만리는 마차를 나섰다. 그래도 설벽린이 머뭇거리자 강만리가 뒤를 돌아보며 눈을 부라렸고 담우천이 다시 한마디 던졌다.

"이제 그만하고 나오자."

설벽린은 길게 한숨을 쉬고 엉거주춤 자리에서 일어났다.

담우천은 다시 구자육을 돌아보며 말했다.

"구 당주도 나오시게."

약품에 젖은 수건을 양손에 든 채 놀란 얼굴로 우두커니 서 있던 구자육이 정신을 차리고 대답했다.

"아, 네. 조금만 더 닦으면 됩니다."

"고생하시네."

"아닙니다. 고생은요."

"그럼 저 처자도 깨워야겠군."

담우천은 천소유의 수혈을 풀었다. 천소유는 방금 전

무슨 소란이 있었는지 전혀 모른다는 듯 늘어지게 기지개를 켜며 자리에서 일어났다.

담우천이 그녀에게 말했다.

"식사하게."

"고맙네요."

천소유는 전혀 고마워하지 않는 투로 말했다.

"재워 주고 먹여 주고…… 정말 상팔자도 이런 상팔자가 없는 것 같아요."

담우천은 아무 대꾸 없이 마차 문을 연 채 옆으로 비켜섰다.

천소유가 그 사이로 걸어 나왔다. 고기 굽는 냄새를 맡자 갑자기 배에서 꼬르륵 소리가 났다.

그러고 보니 어제 오후부터 계속 수혈이 짚인 채 잠만 자고 있었던 것이다. 배가 고플 때도 된 게다.

천소유는 살짝 얼굴을 붉힌 채 모닥불로 다가서자, 나찰염요가 제 옆으로 앉으라는 듯이 바닥을 툭툭 쳤다. 천소유는 그녀 곁에 앉았다. 나찰염요가 그녀에게 사슴 고기 한 점을 건네주었다.

"고마워요."

천소유는 두 손으로 받아 들고 고기를 씹기 시작했다.

설벽린과 강만리는 멀리 떨어져 앉았다. 담호가 눈치를 살피며 설벽린에게 고기를 건넸다.

"드세요, 설 숙부."

설벽린은 한숨을 쉬고는 고기를 받으며 말했다.

"고맙다."

"미안합니다."

강만리가 불쑥 고개를 숙이며 말했다.

"만해 사부도 계시고, 형수도 있는데 함부로 크게 소리쳤습니다. 아직 저도 철이 들려면 한참 멀었나 봅니다."

"그래. 죽을 때까지 들지 못하는 게 철이기는 하니까."

만해거사가 웃는 낯으로 말했다.

화군악은 힘겹게 고기를 씹다가 아무래도 이해가 가지 않는다는 듯한 표정을 지으며 강만리에게 말을 걸었다.

"그런데 형님."

강만리가 눈살을 찌푸리며 말했다.

"다 먹고 이야기하자."

"아니죠, 형님. 형님이 먼저 시작하셨는데요. 도저히 궁금해서 고기가 목에 걸려 넘어가지 않거든요."

강만리는 한숨을 쉬며 말했다.

"그래. 왜 가만히 있는 너와 예추를 끌어들이느냐, 이걸 묻고 싶은 거지?"

"네, 바로 그겁니다."

"우선 예추를 보자. 예추 저 녀석, 마치 정신을 다른 곳에 놔두고 온 것처럼 요 며칠 내내 멍해 있더라. 무슨 다른 생각을 그리하는지 전혀 모르겠다.”

사람들의 시선이 장예추에게로 쏠렸다. 만해거사나 나찰염요, 그리고 담우천 모두 노련하고 경험 많은 인물들이었다. 강만리가 눈치챈 걸 그들이 모를 리가 없었다.

장예추는 고개를 푹 숙였다. 천소유가 그런 장예추를 묘한 눈빛으로 쳐다보고 있었다.

“그리고 너도 그렇지. 다들 힘들고 지치고 피곤한 상황에서 혼자 떼쓰고 우기는 건 도리도 예의도 아닌 게다. 갓 눈을 뜬 병자면 병자답게 의생의 말을 따라서 천천히 심신을 회복해야 한단 말이다.”

“하지만 형님. 저는 이제 다 나았는데요? 병자가 아니라니까요.”

“허어. 정말이지 언제부터 우리가 이런 모래알 집단이 되었는지 모르겠다.”

강만리가 고개를 설레설레 흔들 때였다. 도저히 안 되겠다 싶었는지, 화군악은 지지대 위에 걸려 있는 사슴 고기를 향해 손을 뻗었다.

그의 손이 허공에서 춤을 추듯 가볍게 움직였다. 강만리를 비롯한 사람들은 눈을 동그랗게 뜨고 화군악이 하는 양을 지켜보았다.

두어 차례 손을 흔들던 화군악이 천천히 손을 내리며 입을 열었다.

"다들 맛있게 드세요."

"그건 또 무슨 소리야?"

강만리가 눈살을 찌푸릴 때였다.

지지대에 걸려 있던 사슴에 쩌억 금이 가나 싶더니, 갑자기 백여 개의 덩어리로 분리되면서 우수수 바닥으로 떨어졌다.

"어라?"

강만리가 깜짝 놀란 표정을 지을 때, 두 개의 손과 두 개의 쟁반이 번개처럼 뻗어 나오더니 그 잘린 덩어리들이 땅에 떨어지기도 전에 일제히 회수했다.

"어라?"

강만리는 더 놀란 표정을 지으며 그 손과 쟁반의 임자를 돌아보았다. 손을 뻗어 덩어리들을 낚아챈 이는 담우천이었고, 마치 미리 알고 있었다는 듯이 준비한 쟁반 두 개로 산더미처럼 고깃덩어리를 챙긴 이는 일노였다.

담우천도 살짝 놀란 눈빛으로 일노를 바라보았다. 그렇게 사람들의 시선이 자신에게 쏠리자 일노는 머쓱하게 쟁반을 내려놓으며 말했다.

"다들 맛있게 드시라는 말에 혹시나 하고 쟁반을 챙겼습니다."

'호오.'

강만리는 새삼스러운 눈빛으로 일노를 바라보았다. 한

꺼번에 우르르 떨어지는 수십 점의 고깃덩어리를 단숨에 회수하는 능력도 놀라웠지만, 그보다 그 날카로운 눈썰미와 대담하면서도 세심한 준비성이 더욱 강만리를 놀라게 만들었다.

'담 형님도 기껏 손을 뻗어 고기를 회수했을 뿐인데 말이지…….'

강만리가 속으로 그런 생각을 할 때였다. 화군악이 문득 빙긋 웃으며 입을 열었다.

"조금 전에 형님이 우리를 두고 모래알 집단이라고 하셨잖습니까?"

"아, 그래. 그랬다."

강만리는 퍼뜩 상념에서 깨어나 그리 말했다. 화군악은 진지한 눈빛으로 그를 똑바로 바라보며 물었다.

"모래알도 모으면 산이 된다는 거, 아십니까?"

"응?"

강만리는 허둥거리고 있었다.

8장.
회자정리(會者定離)

"싸우면 싸울수록 더 많은 이들이 죽고 다칠 것이오.
그게 견디기 힘들다면 이 정도에서 포기하는 게 나을 것이오."
"이미 친오라버니를 잃었어요.
그것보다 견디기 힘든 죽음이 또 어디 있을까요?"

1. 다시 만나게 될 때까지

모래알도 모으면 산이 된다[沙粒也能積成山].

물론 강만리도 잘 알고 있는 속담이었다. 아무리 조그
만 것들이라도 하나로 뭉치고 합해지면 거대한 힘을 발
휘한다. 뭐, 그런 뜻이었다.

물방울이 모여서 바다가 되고[水滴成海], 티끌이 모여
서 태산이 되는 것이다[塵合泰山].

하지만 지금 이 상황에서 그 속담이 과연 어울리는 걸
까.

화군악은 계속해서 말했다.

"어쩌면 단단한 바위보다는 모래알이 나을 수도 있습

니다. 제대로 한 번 부딪쳐서 박살이 나는 바위보다는 필요할 때는 이리저리 흩어졌다가 하나로 모일 때는 산이 되는 그런 모래알 말입니다."

가만히 듣던 강만리가 어이가 없다는 투로 말했다.

"그러니까 너는 우리가 모래알 집단이 되어도 나쁘지 않다는 게냐?"

"그럼요. 평소에는 각자의 개성과 저마다의 생각으로 자유롭게 행동하는 한편 필요할 때는 하나로 뭉칠 수 있다면, 저는 언제나 단단하게 굳어 있는 바위보다 훨씬 낫다고 생각합니다. 늘 하나로 뭉쳐 있다는 게 사실 좀 피곤한 일이 아니니까요."

화군악은 싱긋 웃으며 말을 맺었다.

"흠, 그럴듯한 생각이네."

만해거사가 고개를 끄덕이며 그의 생각에 힘을 보탰다.

"각자의 개성이 너무 뛰어나고 사고방식이 서로 완연하게 달라서 매번 부딪치고 사사건건 서로의 발목을 잡는다면야 모르겠지만, 그게 아닌 이상에는 군악의 말이 옳다고 생각하네. 그게 우리에게는 더 잘 어울리는 것 같고."

"아휴, 모르겠습니다."

강만리는 고개를 휘휘 내저으며 말했다.

"각자의 개성을 살리면서 하나된 힘을 발휘할 수 있다는 게 말처럼 그리 쉽다면야 당연히 좋겠죠. 하지만 그렇게 되기 위해서는 그야말로 서로의 눈빛만으로 서로의 생각을 읽을 수 있는, 그 정도의 끈끈한 관계가 되어야만 가능하지 않을까 싶습니다."

"왜? 그 정도로 끈끈한 관계가 되지 않는다고 생각하나? 우리가?"

"그래서 모르겠다고 말씀드린 겁니다."

강만리는 다시 한번 한숨을 내쉬었다. 그러고는 손을 휘휘 내저으며 화제를 돌렸다.

"뭐, 그건 나중에 다시 이야기하기로 하죠. 그나저나 조금 전 그 손짓은 뭐냐? 진짜로 몸이 다 나은 게냐? 아니, 독에 중독되기 전보다 훨씬 더 강해진 것 같은데?"

강만리는 화군악이 조금 전 사슴 고기를 백여 개의 고깃덩어리로 분해한 손짓에 대해서 물었다.

화군악은 어깨를 으쓱거리며 자랑스레 말했다.

"마냥 혼절해 있었던 게 아니라니까요. 저는 혼절해 있는 동안에도 무공 수련을 할 줄 알거든요."

"똥만 지릴 줄 아는 게 아니라?"

"네? 그건 또 무슨 소리입니까? 제가 똥을 지렸어요?"

"아휴, 그만들 해요. 애들 밥 먹는데 못하는 소리가 없다니까."

나찰염요가 끼어들며 그들의 대화를 중단시켰다. 아닌 게 아니라 어젯밤 그 지독한 냄새를 떠올렸는지 초목아와 담호의 표정이 영 좋지 않아 보였다.

"허험. 미안합니다. 제가 말이 심했습니다."

강만리의 사과에도 불구하고 화군악은 얼굴을 새빨갛게 물들인 채 끝까지 그를 붙잡고 늘어졌다.

"아니, 그게 사실인지 아닌지만 말해 주십쇼. 그러니까 제가 언제 똥을……."

"허어, 사람들 앞에서 자꾸 똥, 똥 하지 말라니까."

"아니, 형님이 먼저 똥 이야기를 꺼내지 않았습니까?"

다시 화군악과 강만리의 말싸움이 시작되었다.

사람들은 들고 있던 고깃덩어리를 가만히 내려다보다가 하나둘씩 쟁반에 던졌다. 그리고 두 사람이 싸우건 말건 상관하지 않고 자리에서 일어났다.

그때, 뒤늦게 구자육이 마차에서 내려와 모닥불로 걸어왔다.

"와, 맛있어 보이는 사슴이…… 어라? 벌써 다들 식사를 마치셨습니까?"

구자육은 어리둥절한 표정으로, 막 자리에서 일어나 사방으로 흩어지는 사람들을 바라보며 물었다.

* * *

맛있게 구워진 사슴 고기였지만 구자육 혼자서 다 먹을

수는 없었다. 일노는 마차 짐칸에서 바구니 두 개를 가지고 와서 상당히 많이 남은 고기를 훈연하기 시작했다.

그동안 강만리 일행은 유 노대의 시신을 두고 잠시 의견을 교환했다.

이 상태로 북해빙궁까지 시신을 가지고 가는 건 무리였다. 유월 중순으로 접어들면서 날씨는 점점 무더워지고 있었다. 북해빙궁까지 가기 전에 유 노대의 시신은 모두 썩어 문드러질 게 뻔했다.

결국 사람들은 이곳 산등성이에 유 노대를 묻자는 결론을 내리고는 좋은 묏자리를 찾아 땅을 파기 시작했다.

다른 이들의 만류에도 불구하고 설벽린은 눈물을 글썽거리면서 한 손으로 땅을 파기 시작했다. 화군악 역시 다른 이들의 걱정에도 불구하고 땅을 팠다. 다른 이들도 한없이 가라앉은 얼굴을 한 채 유 노대를 묻을 땅을 팠다.

사실 그들이 장력을 발출하면 순식간에 커다란 구덩이가 파일 것이다. 하지만 유 노대를 묻는 데 내공을 사용할 수는 없었다. 비록 힘이 들기는 하겠지만 두 손으로 정성껏 땅을 파면서, 그동안 유 노대와의 지난 추억을 떠올리고 그를 추도하는 게 옳은 방법이었다.

일노는 훈제를 하고 구자육은 한쪽에 서서 지켜보고 나찰염요는 천소유가 도망치지 못하도록 함께 서 있는 가운데, 한 사람이 충분히 누울 만한 구덩이가 깊게 파였다.

강만리와 담우천이 유 노대의 시신을 들고 조심스럽게 구덩이로 이동했다.

"죄송합니다. 관(棺)도 없어서 제대로 된 운구(運柩)도 하지 못합니다."

강만리는 유 노대의 얼굴을 내려다보며 그렇게 중얼거렸다.

두 사람은 곧 유 노대의 시신을 구덩이 속에 내려놓았다. 조금 전 구자육이 시신을 깨끗하게 닦은 까닭인지 유 노대의 얼굴에서 빛이 나는 것만 같았다.

회자정리(會者定離).

만남이 있으면 반드시 헤어짐이 있는 법이다. 그게 세상의 이치인 게다.

하지만 언제나 헤어짐은 슬펐다. 특히 이런 식의 이별은 더더욱 슬픈 이별이었다.

그러나 만해거사는 이미 슬픔을 지워 내고 있었다.

"먼저 가서 기다리고 있게. 나는 이곳에서 조금 더 놀다 갈 터이니."

만해거사가 덤덤한 어조로 중얼거렸다.

"죄송합니다, 유 사부."

화군악이 절을 했다.

"편히 쉬십시오."

담우천도 절을 올리고, 강만리도 함께 절을 올렸다. 담호도 따라서 절을 올렸으며, 초목아는 엉겁결에 담호를 따라 함께 무릎을 꿇고 절을 했다.

설벽린은 입술을 깨물고 있을 뿐, 움직이지 않았다.

"뭐 하느냐? 유 사부가 아쉬움 갖지 않고 편히 가실 수 있게 해 드려야지."

강만리가 닦달했지만 설벽린은 여전히 움직이지 않았다. 강만리는 한마디 더 하려다가 고개를 저으며 입을 다물었다.

사람들이 유 노대의 위로 흙을 덮기 시작했다. 유 노대의 시신이 흙에 가려져 보이지 않게 될 때였다.

"사부!"

설벽린이 "어헝!" 하며 울음을 터뜨렸다. 그리고 크게 절을 하며 외쳤다.

"반드시 살아남겠습니다, 사부! 누구보다도 오래, 끈질기게 버티고 살아남아서 가장 늦게 사부를 만나러 가겠습니다! 그때 뵙게 되면 '그래도 마지막에는 내 말을 잘 따랐구나' 하고 칭찬해 주시기 바랍니다!"

설벽린은 두 번 절을 한 다음 눈물을 닦았다. 그리고 강만리를 돌아보며 매서운 어조로 말했다.

"이게 마지막 눈물입니다, 형님. 그러니 너무 뭐라고 하지 말아 주십쇼."

"누가 뭐라고 했느냐?"

강만리는 담담한 어조로 말했다.

"울 때 우는 걸 가지고 뭐라 할 사람이 어디 있겠느냐? 한 번 크게 울고 그것으로 마음의 정리를 한 다음, 두 번 다시 뒤돌아보지 않는 것. 그게 바로 사내라는 거다."

가만히 듣고 있던 장예추가 입술을 깨물었다. 강만리가 한 말이 그의 정신을 일깨웠다.

'그렇지. 지나간 일을 연연해 하고 아쉬워하고 자꾸 뒤돌아보는 건 확실히 사내자식이 할 일이 못 된다. 이제 정신 차리자, 예추야.'

그의 눈빛이 담담하게 빛났다.

조금 떨어진 곳에 서 있던 천소유는 그런 장예추의 옆얼굴을 지켜보면서 살짝 아쉬운 기분을 느껴야만 했다.

그녀는 직감적으로 알아차렸다.

'이제 나와의 정(情)을 완전히 끊으려 하는구나.'

그녀도 입술을 깨물었다. 그녀 또한 알게 모르게, 자신의 마음 깊숙한 곳에 얼룩져 있던 잔정의 흔적을 지울 때가 된 것이다.

설벽린이 절을 마친 후 사람들은 천천히 흙을 메우기 시작했다. 이내 얕은 봉분(封墳)이 만들어졌다.

강만리는 묘비(墓碑)도 없는 무덤 앞에서 다시 한번 절을 올린 후 차분한 어조로 말했다.

"훗날 상황이 좋아지면 다시 찾아와 조금 더 좋은 곳으로 옮겨 모시겠습니다."

말을 마친 강만리는 천천히 몸을 돌렸다. 그의 얼굴에는 단단하고 결연한 의지의 빛이 일렁거렸다.

이제 유 노대는 땅에 묻었다. 묻은 건 유 노대의 시신만이 아니었다. 유 노대에 대한 추억과 기억도 가슴 깊숙한 곳에 함께 묻었다. 다시 그를 떠올리고 회상하는 건 먼 훗날의 일이 될 것이다.

이제 뒤는 돌아보지 않고 앞만 보며 나아가야 했다. 그 첫걸음은 바로 천소유에 관한 일이었다.

강만리는 천소유에게 다가가 입을 열었다.

"허창(許昌)에서 귀하를 내려 주겠소. 그곳이라면 건곤가와 그리 멀리 떨어져 있지 않으니까."

허창은 정주(鄭州)의 남쪽, 하남의 정중앙에 자리를 잡은 성읍이었다.

그리고 건곤가와 수백여 리 거리에 있어서, 어찌 보면 건곤가의 세력권 끝자락에 걸쳐 있는 성시(城市)라 할 수 있었다. 확실히 그곳이라면 천소유가 건곤가와 빠르게 연락을 취할 수 있을 것이다.

"하지만 이게 마지막이오. 다음에 만나게 되면 반드시 귀하를 죽일 테니까. 그로 인해 천하와 적이 된다 할지라도 말이오."

강만리는 단호하게 말했다. 천소유는 가만히 그를 바라

보다가 고개를 숙였다.

"다음에 다시 만나게 될 때까지 건강하시기 바랍니다."

강만리는 가볍게 눈살을 찌푸리고는 곧바로 몸을 돌려 사람들에게 말했다.

"그럼 다들 마차에 오릅시다. 곧 출발할 터이니!"

마침 훈제가 끝난 일노가 서둘러 고기들을 챙기며 외쳤다.

"금방 가겠습니다, 나리!"

2. 오래간만의 휴목(休沐)

이름 모를 산등성이에서 새롭게 출발한 여정은 그리 순탄하지만은 않았다.

호광성을 지나 하남성에 이르는 열흘가량의 여정 동안 강만리 일행은 열두 번의 산적과 마주쳐야 했고 그들로부터 되지도 않는 협박과 으름장을 들어야만 했다.

사실 여덟 필의 말이 끄는 마차는 그리 쉽게 찾아볼 수 없었고, 게다가 금적산이 선물로 준 이 마차는 그 거대한 크기도 크기이거니와 외관도 화려해서, 모든 산적들이 군침을 흘리면서 덤벼드는 게 너무나도 당연했다.

강만리도 처음에는 말로 그들을 설득하려고 했다.

하지만 하룻강아지 범 무서워할 줄 모르는 법이었다. 산적들은 코웃음을 쳤고 마차에 있는 금은보화와 계집들을 내놓고 물러가면 목숨만은 살려 주겠다는, 그들 특유의 과장된 몸짓과 목소리로 위협했다.

결국 강만리는 손을 써야 했고 크게 낭패를 본 산적들은 그제야 아무렇게나 무기를 집어 던지고 줄행랑을 쳤다. 다섯 번째 산적부터는 아예 설득할 생각도 하지 않았다.

"우리는 광산의 터줏대감들이시다!"

길을 막은 산적들이 크게 소리치며 협박을 시작하려고 할 때, 강만리는 귀찮다는 표정을 지으며 마차에서 나와 다짜고짜 주먹을 휘둘러 그들의 머리를 한 대씩 쥐어박았다. 몇몇 산적들은 머리를 감싸 쥔 채 눈물, 콧물을 흘리면서 소리치기도 했다.

"아니, 좋은 말로 하지 때리기는 왜 때려요?"

강만리는 그때마다 여지없이 한숨을 쉬며 말했다.

"이미 다 해 봤거든."

그렇게 쉴 새 없이 나타났다가 꼬리가 빠져라 도망치는 산적을 제외한다면, 또 한편으로는 꽤 순탄한 여정이라고 할 수 있었다.

금해가와 태극천맹의 추격대도 보이지 않았고 금적산의 수하들도 나타나지 않았다.

"아무래도 형님이 그 미친개인가 뭔가 하는 놈을 해치운 효과가 큰 모양입니다."

강만리의 말에 반응한 건 천소유였다.

"광견을 죽였어요?"

강만리가 그녀를 돌아보며 되물었다.

"왜? 가까운 사이요?"

"아뇨. 그건 아니지만……."

천소유는 입술을 깨물었다.

광견은 이번 추격대에서 처음 만난 자였다. 달거리의 피 냄새까지 맡던 후각을 지닌 자였고, 한 번 물면 절대 놓치지 않는 추격의 달인이었다.

처음에는 그 광견의 못생기고 추레한 외모와 함부로 말하는 성격이 마음에 들지 않았다.

그러나 추격이 이어지는 기간 동안 그녀는 외려 광견이야말로 순수하기 그지없는 인물임을 알게 되었으며, 광견 또한 자신을 차별하지 않고 평등하게 대해 주는 그녀에게 마음을 터놓기 시작했다.

그런 광견이 죽었다는 것이다.

운룡신창이나 홍염철검, 신안천리 같은 노기인들의 죽음보다 광견이 죽었다는 사실이 왠지 모르게 그녀를 더 슬프게 만들고 있었다.

강만리는 힐끗 그녀를 보며 말했다.

"싸우면 싸울수록 더 많은 이들이 죽고 다칠 것이오. 그게 견디기 힘들다면 이 정도에서 포기하는 게 나을 것이오."

천소유는 잠시 생각하다가 입을 열었다.

"이미 친오라버니를 잃었어요. 그것보다 견디기 힘든 죽음이 또 어디 있을까요?"

강만리는 가만히 그녀를 바라보다가 고개를 돌렸다. 마차는 쉬지 않고 관도를 따라 북진했다.

그렇게 하남의 정양(正陽)에 이르렀을 때, 강만리 일행은 오래간만에 관도를 벗어나 인근 마을로 향했다.

정양에서 여남까지는 하루 이틀 걸리는 거리였다. 보름이 넘게 제대로 씻지도 못한 까닭에, 이쯤에서 객잔 별채를 빌려 하룻밤 푹 쉬고 가는 것도 나쁘지 않다는 계획이었다.

정양현 일대에서는 제법 큰 마을이었던지 별채가 딸린 객잔도 여러 곳이 있었으며, 여럿이서 몸을 씻고 닦을 수 있는 대중목욕탕인 욕지(欲地)도 있었다.

대중목욕탕은 송나라 때부터 유행하기 시작하여 이 시대에는 대륙 전역에 널리 퍼져 있었다.

사람들은 목욕하는 걸 휴가라고 생각해서 휴가를 목욕을 하면서 쉬는 것, 즉 휴목(休沐)이라고도 했다.

그들은 주로 특별한 날에 대중목욕탕을 찾아가서 목욕

했는데, 그곳에는 찰배(擦背)라는 때밀이도 있어서 약간의 돈을 쥐여 주면 온몸 구석구석의 때를 밀어 주기도 했다.

물론 사치품에 해당하는 목욕 콩이나 정향, 독수리 나무, 가루 옥을 혼합한 조분(皂粉:가루비누)이야 일반 백성들이 사용할 수 없는 비누였지만, 그래도 사람들은 콩가루 같은 것으로 스스로 때를 밀기도 했다.

또 대중목욕탕에서는 손톱을 다듬거나 안마(按摩)나 추나(推拿)를 받을 수도 있었고, 심지어는 음료와 음식을 사 먹을 수도 있었다. 그러니 말 그대로, 목욕을 하면서 휴식을 취하는 곳. 그게 바로 대중목욕탕인 욕지였다.

강만리 일행은 후원이 잘 정리된 객잔 별채에 짐을 푼 다음, 거리로 나서 욕지를 찾았다. 사내들은 사내들끼리, 여인들은 여인들끼리 각각의 탕을 찾아 들어갔다.

뜨거운 김이 모락모락 피어오르는 커다란 탕에 몸을 담그자, 사람들의 몸과 마음에 먼지처럼 달라붙어 있던 오랜 여정의 피곤함이 천천히 녹아내리기 시작했다.

담호는 주위 어른들을 흘낏흘낏 쳐다보면서 자신도 그들처럼 양팔을 욕조에 올려놓고 "아, 시원한데." 하고 중얼거렸다.

욕탕 주변으로는 때를 밀어 주는 찰배가 돌아다니며 손님을 찾기도 했고, 음료와 간단한 음식을 가지고 돌아다니는 점원도 있었다. 또한 콩가루 등 몸을 씻을 조분을 판매하는 이들도 있었다.

두 손 가득 뜨거운 물을 가득 퍼서 얼굴을 벅벅 씻던 화군악이 문득 생각났다는 듯이 강만리를 돌아보며 입을 열었다.

"따지고 보면 그 계집이 원흉이지 않습니까?"

고개를 뒤로 젖히고 지그시 눈을 감은 채로 늘어져 있던 강만리가 귀찮다는 듯이 말했다.

"그런데?"

"그런데 그냥 보내는 건 아무래도 뭔가 탐탁지 않아서 말이죠."

"이미 다 끝낸 이야기다. 귀찮게 하지 말고 콩가루로 때나 벗겨라. 아니면 찰배를 부르든가."

"아니, 놓아주는 것까지는 이해하겠습니다. 하지만 뭔가 조금이라도 반대급부를 챙겨야 하는 게 아니겠습니까?"

"그럼 뭘 받아 내면 좋을까?"

"그야……"

"잘 생각해서 여남에 도착하기 전까지 말해라."

강만리는 그 말을 끝으로 더 이상 나눌 이야기가 없다는 듯이 얼굴까지 물속으로 깊이 담갔다.

가만히 그들의 대화를 지켜 듣던 장예추가 입을 달싹거리다가 결국 아무 말도 내뱉지 못하고 입을 다물었다.

목욕을 마친 이들의 얼굴과 피부는 한껏 상기되었고 반짝반짝 윤기까지 흘렀다.

여인들은 아직 다 마르지 않아서 치렁치렁한 머리를 허리까지 길게 늘어뜨린 채 욕지에서 나왔다. 특히 천소유와 초목아는 생전 처음 들어가 본 대중목욕탕에 잔뜩 흥분했는지 눈빛을 반짝이며 즐거운 표정을 짓고 있었다.

모두들 아주 오래간만의 휴목(休沐)을 제대로 즐긴 얼굴들이었다.

하지만 일행 모두가 그 휴목을 즐긴 건 아니었다.

일노는 강만리 일행이 욕지에서 목욕하는 동안 홀로 객잔 별채에 남아서 짐과 마차를 관리하고 초유동을 돌봤다.

욕지로 가기 전, 강만리가 구자육도 가는데 함께 가야 한다고 채근했지만 일노는 정중하게 거절했다.

"소인마저 없으면 마차의 보수는 누가 하며 짐은 누가 지키고 초 나리는 누가 돌보겠습니까? 저는 나중에 따로 씻으면 됩니다."

그의 거절은 타당했으며 논리정연했다. 결국 강만리는 어쩔 수 없이 그를 놔둔 채 욕지로 나서야 했다.

그렇게 홀로 된 일노가 초유동의 상태를 확인한 후 마차 보수를 하기 시작했다.

이십여 일 동안 쉬지 않고 관도를 질주한 탓에 마차 바퀴가 엉망이었다. 일노는 마차 짐칸에 상비해 둔 작업 도구를 이용하여 바퀴의 살을 교체하고 때우고 보수했다.

그렇게 한참 작업에 열중하던 일노가 문득 낮은 목소리로 중얼거리듯 말했다.

"나는 이미 어르신의 하인이 아니라고 세 번이나 말한 것 같은데?"

그의 목소리와 함께 세 개의 그림자가 일노 등 뒤에 내려섰다. 그중 한 명이 공손하고 정중한 어조로 말했다.

"어르신께서 이해하신다고, 당신이 아무래도 단어를 잘못 선택한 것 같다고, 그러니 이미 목적은 달성했으니 걱정하지 말고 돌아오라고 말씀하셨습니다."

"정말 귀찮게 구는구나, 삼노(三奴)."

"저를 아직 삼노라 부르시는 걸 보니, 그래도 우리와의 인연을 모두 끊은 건 아닌 모양입니다, 대형(大兄)."

"아니, 모두 끊었네. 단지 옛 별호를 기억해서 부르는 것도 귀찮고, 그렇다고 전혀 모르는 사람 대접하는 것도 그래서 그 별명으로 불렀을 뿐이지."

"그렇다면 우리와의 맹세도 모두 잊으신 겁니까?"

삼노라 불린 자의 물음에 일노는 처음으로 마차 바퀴에서 손을 뗐다. 그는 천천히 몸을 일으켰다. 가뜩이나 건장한 체구가 더욱 크게 느껴졌다.

일노는 무심한 어조로 말했다.

"돌아들 가라. 나리들께서 돌아오실 때가 되었다."

"대형."

"형님."

세 명의 사내들이 동시에 말했지만 일노는 냉정하게 고개를 저었다.

"다시 나를 찾아오면, 그때는 적으로 간주할 것이야."

"어르신께서 노하십니다."

삼노가 한숨을 쉬며 말했다.

"어르신의 능력과 세력과 힘이 어느 정도인지는 세상 그 누구보다도 대형께서 가장 잘 알고 계실 텐데요."

"내 힘과 능력에 대해서는 누구보다도 자네들이 가장 잘 알고 있지 않나?"

"대형……."

삼노가 안타깝다는 듯이 입을 열 때였다.

후원 저편에서 즐겁게 대화를 나누며 다가오는 무리들의 기척이 있었다. 욕지의 휴목을 끝낸 강만리 일행이었다.

삼노가 빠른 어조로 말했다.

"그럼 나중에 다시 찾아뵙겠습니다. 그때까지 꼭 마음을 바꾸시기 바랍니다."

삼노를 비롯한 세 사내를 일노가 입을 열기도 전에 그 자리에서 자취를 감췄다. 잠시 후 후원으로 통하는 월동문을 지나 강만리 일행이 별채로 들어섰다.

강만리가 일노를 보고 손을 흔들었다.

"같이 가자니까. 정말 좋았다오. 아주 즐거운 휴목이었소."

일노는 몸을 돌려 그들을 향해 허리를 숙이며 말했다.

"저도 나름대로 즐거운 시간을 보내고 있었습니다."

3. 진정한 후예(後裔)

꿀처럼 달콤한 하루의 휴목이 끝났다.

여덟 필이 끄는 마차는 다시 관도에 올랐다. 신선하고 맛있는 여물을 잔뜩 먹고 휴식을 취한 말들은 기운차게 관도를 질주했으며, 일노가 손을 본 까닭인지 삐거덕거리던 바퀴도 부드럽게 돌아갔다.

마차 내부의 분위기는 여전히 고즈넉하고 활기가 없었지만, 그래도 우울하고 침울한 모습은 아니었다. 다들 조용한 가운데 비장한 결의가 담긴 표정을 지은 채 깊은 상념에 젖어 있었다.

이미 죽은 자는 죽은 것이고, 산 자는 살아야 한다.

끝까지 살아남아라.

그게 유 노대의 유언인 이상, 그를 사부로 생각하는 이들은 당연히 그 유언을 지키고 따라야 했다.

제일 빠르게 변한 사람은 설벽린이었다.

그는 거추장스럽게 매달린 손을 아예 떼어 냈다. 그리고 마차를 세운 후 휴식을 취할 때마다, 그 짧은 시간 동안 구자욱과 머리를 맞대고 뭔가 끊임없이 대화를 나눴다. 아마도 자신의 잘려 나간 손을 대용할 무언가에 대해서 의견을 나누는 모양이었다.

화군악도 변했다.

농담 잘하고 쾌활하고 언제나 분위기를 띄우던 그는 마치 철이라도 든 것처럼 진중해졌다. 눈빛은 맑고 깊게 가라앉았으며 굳게 다문 입술에서는 절대자의 권위까지 흐르는 것 같았다.

뭐랄까, 진짜 화군악의 말처럼 그가 혼절해 있는 동안 끊임없이 수련한 것처럼 한 겹 껍데기를 깨고 더욱 성장한 듯한 분위기였다.

장예추도 달라졌다.

천소유를 만난 후로 계속 침잠되어 먹구름이라도 몰고 다닐 것처럼 우울해하던 그는 이제 사라지고 없었다.

그동안 자신을 괴롭히던 번뇌를 깨끗하게 떨쳐 낸 듯, 장예추의 표정은 온화했으며 눈빛은 부드럽고 해맑기까지 했다.

오히려 달라지지 않은 건 강만리였다. 그는 언제나처럼

눈살을 찌푸린 채 곤경에 처한 표정을 짓고 있었다.

'젠장. 아무래도 제대로 확답을 받아 놓지 못한 게 영 마음에 걸리는군그래.'

며칠 전 강만리는 천소유에게 다시 자신의 앞에 나타나면 반드시 죽일 거라는 엄포를 놓았다.

하지만 천소유는 전혀 흔들리지 않고 다음에 다시 만날 때까지 건강하라는 덕담 아닌 덕담으로 그 엄포에 대응했다.

'물론 허창에 내려놓자마자 건곤가 무리를 이끌고 우리의 뒤를 쫓아오지는 못할 것이다. 우선 허창에서 건곤가 사람을 찾아야 하고, 그들의 호위를 받아 건곤가까지 가는 게 급선무일 테니까. 언제 금적산의 하인들이 그녀의 뒤를 쫓을지 모르는 상황이니까.'

만약 천소유가 다시 전력을 재정비하여 강만리 일행을 뒤쫓는다 할지라도 최소한 사오 일 이상의 준비 과정이 필요했다.

또한 강만리가 어느 곳으로 도주하는지 모르는 데다가, 광견도 없는 상황에서 제대로 강만리들의 흔적을 뒤쫓으려면 이삼 일의 시간이 더 필요했다.

'대충 육 일 정도의 여유라면 뭐 걱정할 것도 없기는 하지만…… 생각보다 저 계집이 녹록하지 않을 것 같단 말이지.'

강만리는 그런 생각을 하면서 앞 좌석을 바라보았다. 천소유는 수혈을 짚인 채 잠들어 있었다.

'그나저나 예예들은 지금쯤 북경에 도착해서 우리를 기다리고 있으려나? 정유와 양 당주가 있으니까 별다른 일은 없을 테지만…… 그래도 한 달 가까이 헤어져 있으니 슬슬 걱정이 되기는 하는구나.'

강만리는 누구보다도 정유를 믿었다. 비록 철목가 가주인 정극신의 서자(庶子)이고 태극천맹의 고위직 인물이기는 했지만, 강만리는 그런 정유의 배경에 대해서 조금의 걱정도 하지 않았다.

정유는 강만리의 의제(義弟)였고, 벗이었으며, 스승이었다. 강만리는 정유를 통해 부족한 무림과 강호에 대한 지식을 얻었으며, 무공의 기초를 닦을 수 있었다. 어쩌면 담우천이나 장예추, 설벽린보다 훨씬 더 깊은 마음을 터놓을 수 있는 이가 바로 정유였다.

또한 강만리는 정유의 실력을 믿었다. 강만리는 지금껏 정유가 싸우는 장면을 제법 많이 봐 왔지만 그가 진심으로, 전력을 다해 싸우는 모습은 단 한 번도 보지 못했다. 강만리는 정유가 최소한 자신보다 한 수 위의 실력을 지녔을 거라 확신하고 있었다.

'그때도 도발했다가 일격에 나가떨어졌으니까.'

강만리는 문득 오륙 년 전의 기억을 떠올리고는 쓸쓸하

게 웃었다.

당시 강만리는 자신의 일취월장한 실력에 기고만장해져서 정유에게 덤벼든 적이 있었다. 물론 결과는 당연히 강만리의 일패도지(一敗塗地)였다. 제대로 힘 한 번, 손 한 번 써 보지 못한 채 압도적으로 패하고 말았다.

'하지만 지금은 그 정도는 아니겠지. 내가 그 금강류하인가 뭔가 하는 강기만 제대로 사용할 줄 알게 된다면…… 그때는 내가 더 우위에 설지도…….'

강만리의 상념은 천소유에게서 예예에게로, 예예에서 정유에게로, 그리고 다시 정유에게서 금강류하의 강기로 이어지고 있었다.

'그나저나 정말 믿을 수 없는 일이다. 정말 그때 감옥에서 내게 내공을 전수해 주었던 그 노인네가 금강철마존(金剛鐵魔尊)이었던 겐가?'

금강철마존은 천하의 공적십이마 중 수좌(首座)로 손꼽히던 마웅 중의 마웅, 거마 중의 거마였다.

당대 천하제일인이라 자타가 인정한 초극의 고수. 그러나 결국 수십 명의 백도 초절정 고수 협공에 의해 목숨을 잃었다고 알려진 비운의 천하제일인.

'그런데 그때 죽지 않고 어떻게든 버티고 살아남아 도주했던 거겠지. 그리고 부상을 치료하려고 일부러 죄를 저지르고 아문(牙門)의 뇌옥에 갇혔던 게고.'

벌써 이십 년이 훌쩍 지난 과거의 일이었다.

당시 강만리는 십오륙 세 어린 포졸이었고, 뇌옥을 지키는 임무를 맡고 있었다.

그 어린 강만리에게 무엇을 봤던 것일까. 뇌옥에 갇혀 있던 노인은 강만리에게 약간의 진기를 불어넣어 주고 호흡법을 가르쳐 주었다. 그리고 노인은 부처처럼 자애로운 표정을 지으며 이렇게 말했다.

─이 진기를 씨앗으로 삼아 잘 키워 보거라. 하루도 쉬지 않고 운기조식하다 보면 그 씨앗이 발아(發芽)하여 거대한 나무가 될 것이니.

당시의 강만리는 전혀 알아들을 수 없는 이야기였지만, 병을 앓던 누이동생에게 도움이 될 거라는 말 한마디에 아무런 의심 없이 노인의 진기를 받아들이고 호흡법을 배웠다. 그리고 미련할 정도로 그 호흡법에 몰두하였다.

그러나 결국 누이동생은 죽었고, 강만리는 쓸데없이 힘만 강해지고 말았다. 뒤통수 한 대 쥐어박은 것만으로 성도부 지부대인의 구촌 당질을 죽인 건 바로 그 호흡법 때문이었으며, 그로 인해 성도부 포두로 잘나가던 그가 무림에 발을 디뎌 놓게 된 계기가 되었다.

'공적십이마의 호흡법을 배우고 황계의 십삼매를 알게 되고 무림오적이 되고……'

지금에 와서 생각하면 이게 다 처음부터 원대하게 짜인 한 편의 연극처럼 느껴질 정도였다. 어쨌든 이게 다 그 뇌옥의 노인으로 인해 시작된 일이었다.

그 금강철마존으로 추측되는 노인은 어찌 되었을까.

꽤 오래전 일이라 기억이 가물가물했다. 다른 죄인들과 함께 탈옥했는지, 아니면 형기를 마치고 나갔는지 기억이 나지 않았다. 어쨌든 죽지 않은 채 성도부 아문의 뇌옥을 나선 건만은 확실했다.

'즉, 세간에 알려진 것과는 달리 금강철마존은 아직도 어딘가에 살아 있다는 뜻이겠지.'

강만리는 문득 고개를 갸웃거렸다.

'그를 찾으면 금강류하를 제대로 사용할 수 있을까? 제대로 사용하는 방법을 배울 수 있을까?'

금강류하는 초(招)와 식(式)을 가진 무공이 아니었다. 단전의 내공을 끌어올려 장력으로 발출하는 것, 그게 전부인 무공이었다.

하지만 희한하게도 그 장력은 황금빛으로 일렁였고, 천하의 그 누구도 감히 맞서 대항할 수 없을 정도로 강력하고 압도적인 위력을 지니고 있었다.

단 한 번의 사용으로 모든 내공을 소실하는 강만리와는

달리, 금강철마존은 그 금강류하를 자유자재로 구사했다
고 했다.

그 강대하고 압도적인 위력을 조금도 떨어뜨리지 않은
채 쉬지 않고 연달아 수십 발의 강기를 뿜어냈다고 했다.

그 방법만 익히게 된다면…… 어쩌면 강만리는 금강철
마존의 진정한 후예(後裔)가 될지도 몰랐다.

강만리의 상념에 거기까지 미칠 때였다. 마차의 속도가
갑자기 느려졌다. 여덟 필의 말들이 길게 울음을 토했다.

강만리는 퍼뜩 상념에서 깨어났다. 그리고 보니 마차
밖 주변이 꽤 시끄럽고 분주했다.

슬쩍 창을 통해 밖을 내다보자 한 무리의 사람들이 길
게 줄을 선 채 성문을 통과하는 중이었다. 마부석에서 일
노의 목소리가 들려왔다.

"허창부에 당도했습니다."

9장.
거자필반(去者必返)

회자정리(會者定離) 거자필반(去者必返)이라고 했던가.
만남이 있으면 헤어짐이 있고, 헤어짐이 있으면 다시 만남이 있는 법이다.
그게 세상 이치였고 윤회의 근본인 셈이었다.

1. 나와 내 아들이 맡기로 하지

허창은 대륙 최초 왕조인 하(夏) 왕조의 발원지였다.
또한 조조가 헌제와 함께 새로 이전했던 한나라의 수도
이기도 했다.

수백 년 역사가 이어지면서 그 흥망성쇠(興亡盛衰)의
흔적이 고스란히 남아 있는 성읍이 바로 허창이었다.

강만리 일행이 타고 있는 팔두마차는 아쉽게도 그 허창
으로 들어서지 않았다. 관도를 따라 성문까지 길게 이어
진 행렬 한쪽으로 비켜난 채 마차는 멈췄고, 잠에서 깨어
난 천소유가 마차에서 내렸다.

그 뒤를 따라 강만리가 내려서 그녀와 마주 섰다.

"한 번 더 경고하리다. 두 번 다시 마주치지 맙시다."

강만리는 무뚝뚝하게 말했다. 천소유는 희미한 미소를 지으며 말했다.

"떠난 자는 반드시 돌아오는 법이지요."

젠장.

회자정리(會者定離) 거자필반(去者必返)이라고 했던가.

만남이 있으면 헤어짐이 있고, 헤어짐이 있으면 다시 만남이 있는 법이다. 그게 세상 이치였고 윤회의 근본인 셈이었다. 살아 생전에는 외나무다리에서 만나게 되고, 죽어서는 지옥에서 마주치는 게 바로 원수라는 존재였다.

천소유는 가만히 강만리를 바라보다가 손을 모으고 고개를 숙였다.

"약속을 지켜 준 건 고맙게 생각해요. 은혜라고까지는 할 것 없어도 언젠가는 갚아 드리죠."

그녀는 차분한 어조로 마지막 인사를 한 후, 스스럼없이 행렬에 끼어들었다. 강만리는 잠시 그녀의 뒷모습을 지켜보다가 다시 마차에 오르며 소리쳤다.

"북경부(北京府)로 가자!"

만해거사가 고개를 갸웃거렸다.

"아니, 우리 행선지를 그렇게 함부로 말해도 되나?"

나찰염요가 강만리 대신 대답했다.

"그녀가 똑똑하다는 걸 염두에 둔 말이겠죠. 아마도 그녀는 감히 자신 앞에서 곧이곧대로 행선지를 밝히지는 않을 거라고 생각할 겁니다."

"그녀가 똑똑하다면 외려 그걸 역으로 생각할 것 같은데? 자신을 속이려고 일부러 진짜 행선지를 밝혔다고 말이야."

"하지만 진짜로 똑똑하기 때문에 다시 그걸 역으로 생각할 거예요. 자기가 속지 않을 거라고 생각해서 가짜 행선지를 댔다고 말이죠."

"아아, 머리가 아파지는군. 됐네, 그만하세."

만해거사가 투덜거리며 손을 내저었고, 나찰염요는 슬그머니 미소를 지으며 입을 다물었다.

* * *

허창에서 그대로 북진하면 정주였다. 정주의 동쪽에는 개봉부가 있고, 개봉부에서 서북쪽으로 사나흘을 달리면 북경부에 당도할 수 있었다.

강만리의 팔두마차는 허창 남쪽의 외곽을 빙 돌아서 북으로 달렸다. 개봉부 동쪽 외곽 지역을 지나 하북성으로 들어선 팔두마차는 하간(河間) 지역으로 방향을 틀어 서행(西行)했다가 다시 북으로 말을 돌렸다.

굳이 그렇게 갈지자 형태로 마차를 몰아 북경부로 향한
건 역시 행여 있을지 모르는 천소유의 추격대를 피하기
위함이 첫 번째 이유였고, 당연히 쫓아오고 있을 금적산
의 추격을 따돌리려는 게 두 번째 이유였다.

"뒤따르는 무리는 전혀 보이지 않습니다."

산기슭 높은 곳에 홀로 올라가 한참이나 굽이진 산길을
내려다보며 경계하던 장예추가 돌아와 보고했다.

강만리는 고개를 끄덕이며 말했다.

"적어도 하루 거리 정도는 여유가 있는 것 같군."

화군악이 의아하다는 듯이 입을 열었다.

"뭘 그리 신경 쓰십니까? 차라리 매복해 있다가 싹 다
해치우면 되지 않습니까?"

"귀찮으니까."

강만리는 가볍게 한숨을 내쉬었다.

"게다가 지금 척을 지고 있는 무리도 차고 넘치거든.
거기에 굳이 금적산까지 적으로 돌릴 필요는 아직 없다."

"백만 냥 빚을 지고 있는데 스무 냥 더 빚진다고 해서
티라도 나겠습니까? 화평장 식구들과 재회한 이후에는
더욱더 귀찮게 될 터이니, 역시 북경부에 들어서기 전에
모든 화근을 미리 없애 두는 게 현명할 것 같습니다."

강만리는 눈살을 찌푸리며 화군악의 말에 반론을 펼치
려다가 문득 입을 다물었다. 가만히 생각해 보니 화군악

의 말에도 일리가 있었던 것이다.

백만 냥이라는 거금을 빚지고 있는 상황에서 겨우 은자 스무 냥 정도의 빚을 더 진다고 해서 티가 날 리가 없었다. 오대가문과 태극천맹, 황계들이 백만 냥의 빚이라면 금적산은 확실히 스무 냥의 빚에 불과할 따름이었다.

게다가 자칫 예예 일행이 놈들의 시야에 노출이라도 된다면 그때는 지금보다 몇 배는 더 귀찮게 될 게 분명했다.

"내가 처리하지."

담우천이 담담하게 말했다. 장예추도 뒤따라 이야기했다.

"저도 함께 가겠습니다. 모르기는 몰라도 우리 두 사람이라면 충분할 겁니다."

확실히 그들 두 사람이라면 충분하고도 남을 것이다. 바로 이 두 사람, 담우천과 장예추만으로 저 무적가 오백여 무리를 몰살시킨 전적이 있었으니까.

강만리나 화군악 모두 그들이라면 충분히 믿고 맡길 수 있다고 생각할 때였다. 담우천이 고개를 저으며 입을 열었다.

"아니, 이 일은 나와 내 아들이 맡기로 하지."

일순 사람들의 눈이 휘둥그레졌다.

"안 돼요!"

나찰염요가 놀란 듯 소리쳤다.

"아호는 아직 어리다고요."

"그건 아니오."

담우천은 평온한 얼굴로 말했다.

"어리다고 해서 마냥 감싸고 보호만 하면 제대로 성장할 수가 없소. 무엇보다 우리 때를 생각해 보오. 우리가 아호 나이 때 어떠했는지를 말이오."

"그건 그거고, 이건 이거죠."

나찰염요는 항변했다.

"우리가 힘들고 어렵게 자랐다고 해서 우리 아이까지 그렇게 자라게 할 필요는 없으니까요. 우리가 이건 아니라고 생각한 것들은 물려주지 않고, 이것만은 반드시 하는 것들만 전해 주어야 하잖아요? 그게 먼저 삶을 산 어른들의 의무인 거고요."

"그래서 아호와 함께 가려는 것이오. 내가 배우고 수련했던 것들 중에서 쓸데없고 필요 없는 부분들은 과감하게 배제하고, 오로지 실전적이고 효용적인 것들만 가르치기 위해서 말이오. 그리고 그렇게 가르치기에 지금이 딱 좋은 때라고 생각하오."

"하지만……."

"죄송합니다만 제가 한마디 거들어도 될까요?"

느닷없이 일노가 끼어들었다.

조금 전까지만 하더라도, 어제 내렸던 폭우로 인해 흙탕물을 뒤집어쓴 마차를 닦던 일노가 어느새 그들 곁으로 다가와 조심스러운 얼굴로 그렇게 말했다.

사람들은 그를 돌아보았다. 강만리가 미소를 지으며 고개를 끄덕였다.

"물론이오. 얼마든지 말씀하시오."

일노가 몇 번이나 말을 낮추라고 부탁했음에도 불구하고 강만리는 쉽게 그에게 하대를 하지 못했다.

"감사합니다."

일노는 담우천을 바라보며 말을 이어 나갔다.

"여러 나리들에 비하면 조족지혈에 불과하겠지만, 그래도 금적산의 하인들은 제각기 하나씩의 장기를 가지고 있습니다. 적어도 그 분야에서만큼은 독보적이라고 할 수 있을 정도로 뛰어난 실력을 지니고 있죠. 그러니 담 나리나 장 나리라면 몰라도, 담호 도련님이 가시게 된다면 아무래도 위험하지 않을까 싶습니다."

담호는 마차가 멈추고 휴식을 취할 때마다 일노에게 다가가 마차를 수선하고 보수하는 작업을 지켜보면서 이것저것 물었다. 또한 마차를 모는 방법이나 말을 다루는 방법에 대해서도 상당한 흥미를 보이기도 했다.

일노는 그런 담호는 막내아들처럼 살뜰하게 보살폈다. 가끔은 어좌(馭座) 옆자리에 태우고 직접 말을 몰게 하기도 했으며, 또한 어떻게 해야 마차를 부드럽고 편안하며 안전하게 몰 수 있는지에 대해서도 설명해 주었다.

그렇게 정이 들어서였을까. 지금껏 강만리 일행의 대화에 단 한 번도 끼어들지도, 신경 쓰지도 않았던 일노가 굳이 나찰염요의 말을 자르며 나선 것이다.

"일노의 말이 맞아요."

나찰염요는 자신의 말을 자르고 나선 일노의 행동에 대해서 전혀 불쾌하게 생각하지 않았다. 외려 일노가 자신의 말에 동조하듯 나선 걸 보고 크게 기뻐하며 말했다.

"애를 강하게 키우는 건 저도 동의해요. 하지만 그것도 상대를 봐 가면서 해야죠. 금적산의 하인들이 얼마나 강한지는 오라버니도 보셔서 잘 아시잖아요?"

"제대로 보았소. 그래서 하려는 게요."

담우천은 무뚝뚝하게 말했다.

"아호보다 낮거나 비슷한 자들과만 겨루다 보면 결국 그 정도의 실력에 만족하고 정체할 게 뻔하오. 한 수 위, 두 수 위의 고수들과 싸우면서 무엇이 부족한지, 어떤 걸 보완해야 하는지, 왜 더 노력해야 하는지를 깨달아야 하오."

"그래도 너무 위험한……."

"위험할 리는 없소. 내가 곁에 있으니까."

담우천의 목소리는 차분했지만 감히 항거할 수 없는 위엄과 단호함이 실려 있었다.

나찰염요는 입을 다문 채 가만히 그를 쳐다보다가 고개를 설레설레 흔들며 중얼거렸다.

　"그래요. 예전 사선행자 시절부터 천하의 누구도 그 고집은 절대 꺾지 못했으니까요. 마음대로 하세요."

　담우천은 나찰염요가 삐쳐서 앵돌아진 표정을 짓자 문득 난처한 듯 머뭇거리다가 마차 근처에서 초목아와 도란도란 담소를 나누고 있던 담호를 불렀다.

　"아호야, 이리로 오너라."

　"네."

　담호가 부리나케 달려왔다. 그는 눈빛을 초롱초롱 반짝이며 부친을 쳐다보았다.

　"무슨 일이세요?"

　담우천은 가만히 담호를 내려다보다가 불쑥 질문을 던졌다.

　"너는 일노와 싸워서 이길 자신이 있느냐?"

　"네?"

　부친의 난데없는 질문에 담호의 눈이 휘둥그레졌다.

2. 천둥벌거숭이

　담호의 심장이 쿵쾅거리고 있었다. 손바닥은 땀으로 흥

건이 젖었으며, 등골을 타고 오르는 긴장감에 온몸이 경직되어 움직일 수도 없었다.

"너무 긴장하지 마라."

마치 지금 담호의 상태를 정확하게 알고 있다는 듯이 담우천이 불쑥 입을 열었다.

"지나친 긴장감은 몸을 굳게 만들고 반응을 느리게 만들지. 또 전혀 긴장하지 않는 건 패기(覇氣)가 너무 앞서서 주위를 살피지 못하게 하고 실수를 범하게 만들기도 한다. 그러니 적당하게 긴장하는 게 가장 좋다. 가슴이 두근거리고 호흡이 달아오른 그 정도, 손에서 열이 나고 모든 신경이 눈과 귀와 코로 집중되는 정도. 그 정도의 긴장감이 딱 좋은 게다."

담호가 물었다.

"그럼 어떻게 해야 적당하게 긴장할 수 있는 건가요? 저는 지금 너무 긴장한 것 같거든요. 입에 침이 마르고, 손에서 땀이 잔뜩 나요."

확실히 잔뜩 긴장한 때문이었을까. 담호는 평소라면 부끄러워서 할 수 없는 이야기까지 주절주절 늘어놓고 있었다.

"호흡이다."

담우천은 높은 나무 꼭대기에 우뚝 선 채 산등성이 아래 구불구불하게 이어진 산길을 내려다보며 이야기했다.

"길고 가늘게, 하지만 끊어지지 않고 면면부절(綿綿不絕) 이어지도록 호흡을 유지해라. 자세는 낮추고 몸의 중심을 하반신에 두어라. 그 호흡과 자세를 유지하고 있다 보면 어느새 긴장감은 고양감으로 바뀌고, 제대로 싸울 수 있는 심신 상태가 될 것이다."

담호는 부친의 이야기에 따라 자세를 호흡을 가다듬었다.

물론 처음부터 쉽게 호흡이 가라앉지는 않았다. 지금 담호가 상대하려는 이들은 장터의 불한당이나 뒷골목의 하류잡배들이 아니었다. 그의 부친과 숙부들이 인정하는 무림의 고수들, 금적산의 하인들이었다.

그러니 담호의 몸을 휘감고 있는 들뜬 기분과 불안한 감정, 초조한 긴장감은 쉽게 사라지지 않았다.

애써 호흡을 유지하려는 담호의 귓전으로 문득 조금 전 일노가 이야기했던 당부들이 떠올랐다.

-세 명일 겁니다, 도련님. 한 명은 몸이 날래기가 범 같고, 다른 한 명은 힘이 세기가 곰 같으며, 다른 한 명은 독수리의 발톱처럼 날카로운 손톱을 가지고 있습니다. 담 나리께서 곁에 계시겠지만 그래도 정말 조심하셔야 합니다.

일노의 말을 되새기던 담호는 문득 풀죽은 표정을 지었다.

'내가 흥분하는 바람에 일노에게 못할 말을 하고 말았어.'

조금 전 그의 부친은 소년에게 이렇게 물었다.

"너는 일노와 싸워서 이길 자신이 있느냐?"

소년은 잠시 당황하며 일노를 비롯한 사람들의 눈치를 살폈지만 곧 당돌한 표정을 지으며 말했다.

"전력을 다해 싸우면 이길 수 있을 거예요. 일노뿐만 아니라, 아버지와 숙부들을 제외한다면 누구든 다 이길 수 있어요."

열서너 살 소년이었다.

그 또래의 조금 힘을 쓸 줄 아는 아이라면, 당연히 이 세상에서 자신이 제일 강할지도 모른다는 착각과 망상을 하기 마련이었다.

심지어 소년 담호는 단 일격에 고굉을 쓰러뜨리고, 심지어 화평장에 몰래 침입한 고수까지 해치운 전력이 있었다. 또 보름여 전, 동정호 거대한 화선에서의 난투 상황에서도 충분히 한 사람 몫을 해냈다.

당연히 소년의 부친이나 숙부들을 제외하고는 자신이 천하제일일지도 모른다는 착각을 할 수밖에 없었다.

그의 당돌한 대답을 들은 어른들은 저마다 다른 표정을

지으며 한숨을 내쉬거나 탄식했다. 그들 또한 담호의 시절을 겪고 어른이 되었기에, 지금 담호의 심정에 대해서 너무나 잘 알고 있었다.

그렇다고 '세상은 넓고 고수는 모래알처럼 많단다.'라든가 '네 또래 아이들은 다 그렇게 생각하지. 한 대 맞아보기 전까지는 말이다.'라는 식으로 현실을 깨우쳐 줄 수도 없었다.

그들 또한 겪어 왔던 그대로, 그 나이 또래의 아이들에게 전혀 먹혀들 리가 없었으니까.

담우천이 사람들을 둘러보며 물었다.

"어떻소이까? 이 천둥벌거숭이에게 현실을 제대로 가르쳐 줄 때가 된 것 같지 않소이까?"

사람들은 아무 말도 하지 못했다. 나찰염요도, 일노도 입을 다물었다.

당시를 회상한 담호의 귓불이 뜨거워졌다.

'정말이지 바보 같은 대답을 했지 뭐야?'

하지만 그 바보 같은 대답으로 인해서 이렇게 부친과 단둘이 있게 되었고, 또 평소 엄하기만 하던 부친에게서 다정하고 세세하게 이야기를 들을 수 있게 되었으니 마냥 손해만 있었던 건 아니었다.

그런 생각을 하는 동안 긴장감이 적잖이 사라졌는지,

담호의 쿵쾅거리던 심장이 조용해졌고 식은땀도 더 이상 흐르지 않았다.

등골을 파고들던 긴장감도 사라졌다. 적당한 두근거림, 적당한 호흡, 적당한 초조함과 불안함, 그리고 그것들을 압도하는 고양감.

'이게 적당한 긴장감인가 보구나.'

담호가 속으로 그렇게 중얼거릴 때였다.

"기척을 숨겨라."

담우천이 나지막한 소리로 말했다. 담호는 흠칫 놀라며 제 기척을 지우는 한편, 산등성이 아래로 난 길을 내려다보았다.

어제 내린 비로 인해 흙탕물 범벅이 된 산길 저편에서 세 명의 사내가 모습을 드러냈다.

나무에 몸을 숨긴 채 내려다보던 담호의 눈빛이 반짝였다. 일노가 설명해 준, 바로 그 세 명의 하인들이었다.

긴장한 담호의 귓전으로 담우천의 나지막한 목소리가 흘러들었다.

"처음에는 내가 관여하지 않을 게다. 너 혼자 궁리하고 생각해서 어떻게 기습을 펼칠지 계획을 세워라. 그리고 행동으로 옮겨라."

어찌 보면 가혹하고 혹독한 이야기였다. 굳이 새끼를 벼랑 아래로 굴리는 사자를 떠올리지 않더라도, 확실히 엄격하고 위험천만한 교육 방법이었다.

또 한편으로는 세상이 얼마나 넓은지, 그리고 자신의 실력이 지금 어느 정도인지 담호가 깨달을 방법이기도 했다.

담호는 사내들을 지켜보면서 머리를 굴렸다.

'마침 바람은 내 편이다. 저들이 우리를 지나쳐 등을 보일 때 바로 기습하자. 먼저 가장 강한 자부터 해치우는 거지?'

그는 그동안 부친이나 숙부, 화평장 무사들에게 듣고 배웠던 이야기들을 떠올렸다.

―적이 여러 명일 때는 전력을 다해 가장 강한 적부터 해치우는 거야.

―하지만 만약 단숨에 해치우지 못할 정도로 강할 것 같다면, 가장 약한 적부터 쓰러뜨려야 해. 반드시 기억해 두라고. 어쨌든 적의 수를 줄이는 게 최우선이라는 걸.

담호는 지금 자신의 전력이라면 충분히 적 하나를 단숨에 쓰러뜨릴 수 있을 거라고 자신했다.

'가운데다.'

태극오행신보의 보법으로 몰래 저들의 등 뒤로 다가가서 가운데 사내를 해치우자마자 용권천지참결을 펼쳐 양쪽 사내를 동시에 쓰러뜨린다.

아주 간단하면서도 효과적인 계획이었다.

'좋았어!'

담호는 자신이 세운 계획에 자신만만했다. 때마침 세 사내를 담호와 담우천이 숨어 있는 커다란 나무를 지나쳐 가고 있었다.

그들의 등이 보였다. 담호가 내공을 운기했다. 그들이 발을 내딛는 동작이 움찔거리는 듯했다.

담호는 곧바로 나뭇가지를 박차고 허공을 날았다. 소리 없이, 기척 없이 사내들의 등 뒤로 날아내린 담호는 곧장 태극오행신보를 펼치며 사내들과의 거리를 좁혔다.

그의 한껏 운기한 내공이 양손을 통해 금불밀영수(金佛密影手)의 수법으로 발현되었다. 담호의 손이 정중앙에서 걷던 사내의 등을 있는 힘껏 후려쳤다.

바로 그때였다.

"어딜!"

마치 기다리고 있었다는 듯이 세 사내가 호통을 치며 벼락처럼 몸을 움직였다.

정중앙의 사내는 곧바로 몸을 회전하여 담호의 기습을 파훼하는 동시에 역습을 가했다. 좌우의 사내들은 빠르게 몸을 돌려 담호의 좌우로 이동, 정중앙의 사내와 동시에 협공을 가했다.

하지만 다음 순간, 사내들은 눈을 휘둥그레 뜨며 손을 멈췄다.

"뭐야? 아직 꼬마이지 않은가?"

"응? 본 적이 있는 것 같은데?"

"그렇군. 그 강만리라는 자들과 함께 있던 꼬마로군그래."

사내들은 자신을 기습한 자가 겨우 열서너 살 어린 애송이라는 걸 알고는 어이가 없는 표정을 지었다.

호기롭게 세운 계획이 단번에 깨진 담호는 입을 질끈 깨물면서 용권천지참결의 수법을 펼쳤다. 그의 몸이 빠르게 회전하며 세 방향의 사내를 동시에 공격했다. 그야말로 폭풍 같은 기세의 일격이었다.

"허어, 기술은 뛰어나나 아직 그 기술을 받쳐 줄 힘이 부족하군."

"아니, 왜 이 어린 녀석을 우리에게 보낸 게지?"

"설마 이 꼬마가 우리를 죽일 수 있다고 생각한 건 아니겠지?"

세 사내는 담호의 용권천지참결의 공격을 여유 있게 피하면서 의견을 나눴다.

담호의 얼굴이 시뻘겋게 물들었다. 분노와 치욕, 수모와 좌절감이 소년의 정신을 지배했다.

"죽어라!"

담호는 소리치며 양손을 내질렀다.

감당할 수 없을 정도로 빠른 공격에, 순간 허공 가득 그의 권영(拳影)이 아로새겨졌다.

우르르!

천둥이 치는 소리가 들렸고, 사방에서 벼락이 떨어지는 듯했다.

세 사내가 감탄하듯 혹은 놀란 듯 소리쳤다.

"천수백팔뢰권(千手百八雷拳)!"

"소림의 무공까지 펼치다니!"

"하지만 그 기세에 비해 너무 위력이 부족하다! 역시 내공이 문제인 게야!"

3. 북경부(北京府)

담호는 눈물이 날 것만 같았다.

필생의 힘을 기울여 전력으로 자신의 무공을 펼치고 있었지만 세 사내의 소매도 어찌해 보지 못하고 있었다.

반면 세 사내는 소년을 농락하듯 여유롭게 피하면서 이런저런 조언을 해 주고 있었다.

"자세가 아직 불안하다. 하반신에 중심을 제대로 싣지 않았구나. 그러니까 주먹을 휘두르면서 상체가 붕 뜨는 게고 위력이 반감되는 게다."

"어디 또 펼칠 무공이 있느냐? 있으면 어서 보여 주거라. 이 어르신들은 마냥 한가한 분들이 아니니 말이다."

그 와중에 한 사내가 문득 깨달았다는 듯 눈을 반짝이며 사방을 둘러보았다.

"아니, 아무리 그래도 이 애송이 혼자만 보낼 리는 없잖아? 누군가 주변에 숨어 있을 게야!"

"그렇군! 어쩌면 놈들 모두 주변에 있을지도!"

사내들은 그제야 담호 말고 또 다른 자가 있을 거라는 사실을 떠올리고 담호를 등한시한 채 주위를 살폈다.

담호는 더욱 화가 솟구쳤다. 그는 허공으로 몸을 솟구쳤다. 유 노대의 절기인 곤륜대팔식의 경공술이 세 사내의 머리 위에서 펼쳐졌다.

그러나 세 사내는 놀라지 않았다. 당황하거나 감탄하지도 않았다.

"너는 조금 쉬고 있어라."

사내 중 한 명이 중얼거리듯 말하며 지면을 박차고 몸을 날렸다. 허공에서 세 사내에게 공격을 펼치려던 담호는 저도 모르게 호흡을 집어삼켰다.

"헉!"

순간적으로 몸을 날렸던 사내가 어느새 자신의 등 뒤, 허공에 떠 올라 있었던 것이다.

거자필반(去者必返) 〈275〉

담호는 공중에서 비룡번신(飛龍翻身)의 수법으로 몸을 뒤집으며 사내를 향해 주먹을 내질렀다.

"좋은 수법."

사내는 중얼거리며 담호가 내지른 주먹을 잡고 팔을 꺾은 다음 몸을 뒤집어서 무릎으로 등을 가격했다.

"큭!"

담호는 격한 고통을 이기지 못하고 그대로 지면으로 떨어졌다.

쿵!

요란하게 울려 퍼지는 가운데 사내는 표표히 지면에 내려서며 재차 주위를 살폈다.

그때였다.

"으윽."

한 마디 신음이 바로 그 사내의 입에서 흘러나왔다. 뒤이어 그의 목덜미에서 목젖을 꿰뚫고 검날이 튀어나왔다.

"무슨 일이야?"

"오노(五奴)!"

다른 사내들이 놀라 황급히 몸을 돌렸다. 목젖이 꿰뚫린 사내는 두 눈을 부릅뜨고 아무 말도 하지 못한 채 앞으로 고꾸라졌다.

그의 뒤에는 아무도 없었다. 사내의 목젖을 꿰뚫었던 검도 보이지 않았다.

두 사내가 놀라 헛숨을 들이켤 때, 그들의 등 뒤로부터 인기척이 느껴졌다. 사내들은 빠르게 몸을 돌리며 주먹을 휘두르려 했다.

　그러나 이미 늦었다. 그들이 미처 반응하기도 전에, 환섬신루의 표홀한 보법으로 자리를 이동한 담우천은 두 사내의 명문혈을 내리찍은 것이다.

　두 사내는 짧은 비명도 토해 내지 못한 채 그대로 고꾸라졌다. 믿을 수 없을 정도로 간단하게, 어이가 없을 정도로 허무하게 세 사내가 목숨을 잃었다.

　담우천은 가볍게 검을 휘둘러 핏물과 기름기를 제거한 다음, 검집에 넣으며 담호를 돌아보았다. 지면에 쓰러져 있던 담호가 바둥거리다가 힘겹게 일어섰다.

　담우천이 차분한 어조로 물었다.

　"많이 다쳤느냐?"

　"아뇨."

　담호는 잔뜩 기죽은 목소리로 대답했다. 담우천이 다시 물었다.

　"잘 보았느냐?"

　"네. 잘 보았어요."

　"내가 무슨 무공을 사용했더냐?"

　"폭광질주섬을 펼쳐 적의 등 뒤로 접근하여 검을 찔렀고, 다시 환섬신루로 두 아저씨의 등 뒤로 이동, 명문혈을 동시에 파괴하신 것 같아요."

"잘 봤다. 변변한 무공이라고는 저들에게 다가가기 위한 신법과 보법밖에 펼치지 않았다. 저들을 죽인 건 단순한 찌르기와 점혈수법에 불과하다. 이게 무슨 뜻인지 알겠느냐?"

담호가 망설이자 담우천은 몸을 돌리며 말했다.

"제대로 깨우친 후 대답해도 된다."

담호는 입술을 깨물다가 고개를 숙였다.

"네, 아버지."

"아니, 제대로 보호한다면서 애를 이렇게 만들어 오면 어떡해요? 세상에. 팔이 부러졌잖아요? 등에서 새파랗게 멍이 들고, 하마터면 죽을 뻔했네. 괜찮니, 아호야? 어디 속이 상하거나 다친 건 아니고? 운기조식부터 해서 확인해 보렴. 정말 너무하세요, 오라버니."

자식을 벼랑 끝으로 내몬 교육의 결과라고나 할까.

북경부에 당도할 때까지, 담우천은 귀에 못이 박힐 정도로 나찰염요의 잔소리를 들어야 했다.

* * *

유월 말.

팔두마차 한 대가 북경부 남문을 통과하여 성내로 들어섰다. 마차는 자금성에서 그리 멀리 떨어져 있지 않은 객잔 한 곳에서 멈췄고, 마차에서 내린 이들은 객잔 별채에 짐을 풀었다. 바로 강만리 일행이었다.

　"그럼 화평장 식구들의 소식을 알아 오겠습니다."

　강만리는 사람들에게 그렇게 이야기하고는 장예추와 함께 별채를 나섰다.

　강만리는 번화한 북경부 거리를 걷다가 문득 감회에 젖은 표정으로 어느 한 곳을 쳐다보았다.

　"그래, 바로 저 다리였지. 천교(天橋)였지, 아마?"

　장예추는 그의 중얼거림을 듣고는 고개를 돌렸다.

　강만리가 바라보고 있는 쪽으로 그리 크지 않은 연못이 있었고, 그 위로 좁은 다리가 하나 놓여 있었다. 마차 한 대면 꽉 찰 정도로 좁은 다리였다.

　"저 다리 위에서 사달이 났고, 거기에 끼어들었다가 저 황궁연쇄살인사건까지 맡게 되었지."

　강만리는 감개무량한 표정을 지었다.

　수년 전의 어느 겨울, 공물의 호위 역할로 이곳 북경부에 온 강만리는 예예와 함께 산책을 하다가 우연히 저 천교에서 일어난 다툼에 끼어들게 되었다.

　그리고 그 다툼을 해결하던 와중에 내각(內閣)에서 대학사(大學士)를 보좌하는 중서사인(中書舍人) 조자헌(曺

慈獻)을 알게 되었고, 또 그로 인해 내각 최고의 수장인 대학사 섭동천(葉桐闡)을 만나게 되었다.

강만리는 섭동천에게서 황궁연쇄살인사건을 해결해 달라는 의뢰를 받았고, 그 해결 과정에서 황태자와 친분을 맺었으며 심지어 황제와 독대하는 영광을 누리기도 했다.

그리고 그 보상으로 황궁무고까지 출입하게 되었으니, 어찌 보면 지금의 강만리를 만든 건 바로 저 좁은 다리 위에서 벌어진 조그만 다툼이라 할 수 있었다.

물론 장예추는 그런 시시콜콜한 속사정까지 모두 알지 못했다. 그저 강만리가 감회 새로운 표정을 짓는 걸 가만히 지켜보고 있을 따름이었다.

그때였다.

사인교(四人轎) 하나가 그들의 곁을 지나가다가 문득 멈춰 섰다. 그러고는 가마의 주렴이 젖혀지며 늙수그레한 오십 대 초반의 문사가 얼굴을 드러냈다.

"거기 강 영웅이 아니시오?"

초로의 문사가 강만리를 향해 물었다. 강만리가 뒤를 돌아보다가 움찔 놀랐다.

'허어, 호랑이도 제 말 하면 온다더니.'

그는 내심 그렇게 중얼거리며 두 손을 모으고 허리를 숙였다.

"수년 만에 조 중서사인을 뵙습니다."

그랬다.

네 명의 장정이 메는 가마에 탄 초로의 문사는, 조금 전 강만리의 회상에 나왔던 바로 그 중서사인 조자헌이었다.

당시 사십 대 중반이었던 조자헌은 어느새 희끗희끗해진 수염과 눈썹을 지닌 노인이 되어 있었다. 그는 강만리의 인사에 껄껄껄 웃으며 어깨를 으쓱거리더니 자랑하듯 말했다.

"중서사인은 무슨, 사보(四補)가 된 지 벌써 일 년 가까이 되었다오."

"오호, 그것 참 경하(慶賀)드릴 일이로군요. 진심으로 축하합니다. 지금에 와서 하는 말이지만 사실 되셔도 예전에 되셨어야 했습니다."

"허허허, 세월이 지나고 보니 아부도 많이 느셨구려."

"아부는요. 본심을 숨기지 않고 입 밖으로 낼 줄 알게 되었을 뿐입니다."

"이런, 이런. 말솜씨도 느셨구려. 허허, 그나저나 회자정리(會者定離) 거자필반(去者必返)이라고 하더니, 이렇게 뜬구름없이 재회를 하게 되는구려."

조자헌은 강만리와의 재회를 크게 기뻐하며 말을 이었다.

"예서 이럴 게 아니라 궁으로 갑시다. 강 영웅을 보고 기뻐할 사람들이 한가득 있으니 말이오."

"그게 그러니까……."

강만리가 난색을 취하자 조자헌은 문득 주위를 살피고는 소리를 낮춰 은근하게 말했다.

"무엇보다 태자 전하께서 몸이 편찮으시다오."

"이런."

강만리의 얼굴이 일그러졌다.

10장.
황태자(皇太子) 주완룡(朱完龍)

자신을 두고 대사형이라 불러 달라며 유쾌하게 웃던 주완룡이었다.
자신의 수하가 되어 달라는 제의를 강만리가 거절했음에도 불구하고
주완룡은 전혀 마음에 두지 않았다.
언제나 그는 호탕했고 다정했으며 세심했다.

1. 재회(再會)

원래 내각은 궁중의 도서관을 의미했고, 대학사는 도서관의 관장에 다름이 없었다.

하지만 세월이 흐르면서 황제에게 조언을 하게 되고, 또 정무에 바쁜 황제의 일을 보좌하는 비서관 역할을 하게 되면서 나중에는 육부상서의 상위에 준하는 예우를 받게 되었다. 이후 대학사는 명실공히 조정 최고의 수장이 되었다.

내각에는 보통 세 명에서 여섯 명의 대학사가 있어서 각자 맡은 바 업무를 관장했는데, 그 서열에 따라 수보(首輔), 차보(次補), 삼보(三補)순으로 명칭이 정해졌다.

조자헌은 현재 내각에 있는 네 명의 대학사 중 막내라 할 수 있는 사보였다.

그 막강한 권력을 쥔 이의 초대였고 심지어 황태자인 주완룡의 몸이 편치 않다는 소식까지 들었지만, 강만리는 당연히 거절할 수밖에 없었다.

"죄송합니다. 지금은 당장 급하게 처리해야 할 일이 있어서…… 그 일이 끝나는 즉시 찾아뵙도록 하겠습니다."

"그러면 어쩔 수 없구려. 궁의 사람들에게는 미리 말씀 드려 놓겠소. 일이 마무리되는 대로 언제든지 찾아오시 구려. 참, 폐하께서 주신 증패는 아직 가지고 있으시오?"

"물론입니다."

"그 증패만 있으면 쉽게 궁으로 들어오실 수 있을 것이 오. 위사에게 내 집무실을 물어 안내받으시오."

조자헌은 자신의 집무실 위치와 근무 시간 등을 세세하게 알려 준 후, 그제야 다시 주렴을 내리고 사인교를 출발시켰다.

그의 수다에 질린 강만리가 고개를 홰홰 내저을 때 장예추가 물었다.

"황궁 사람입니까?"

"아, 궁에 대해서는 잘 모르지?"

강만리는 다시 걸음을 옮기며 간략하게 내각과 동창 등에 대해서 장예추에게 설명했다. 장예추는 간간이 고개를 끄덕이며 그의 이야기를 듣다가 궁금한 대목이 있으면 물어보고는 했다.

그렇게 대화를 나누다 보니 어느덧 그들의 목적지에 도달해 있었다.

두 사람은 관우를 모시는 사당인 관제묘(關帝廟) 앞에서 걸음을 멈췄다. 관제묘 앞 커다란 향로에는 수십 개의 커다란 향들이 꽂혀서 연기를 피워 올리고 있었다.

두 사람은 잠시 향로 앞에서 고개를 숙인 다음, 관제묘 안으로 들어섰다. 관우의 상(像)이 우뚝 서 있는 가운데 제단에도 작은 향로들이 여러 개 놓여 있었다.

강만리는 제단 앞으로 걸어가 그 너머, 관우의 상을 받치고 있는 대(臺)의 뒤쪽을 더듬었다. 찰칵! 하는 소리와 함께 대의 뒤쪽이 열리면서 공간이 드러났다.

강만리는 허리를 굽히고 손을 뻗어서 그 공간 속을 뒤적거렸다. 손가락 끝에 걸리는 게 있었다. 여러 겹으로 접힌 쪽지였다.

강만리는 쪽지를 꺼내 펼쳤다. 화려한 글씨체로 적혀 있는 글귀가 있었다.

서문(西門) 용봉(龍鳳)

글을 읽은 강만리의 안색이 밝아졌다.

"무사히 도착했구나."

정유의 글씨체였다. 그는 북경부에 당도하자마자 미리 약속한 이 관제묘에 들러 자신들의 거처를 남겨 둔 것이다.

"여긴 어찌 아셨습니까?"

장예추의 물음에 강만리는 어깨를 으쓱거렸다.

"내가 어찌 알겠누? 의외로 정유 그 녀석이 아는 게 많더라고."

이 관제묘 대의 비밀 공간은 원래 태극감찰밀의 고위직들만 알고 사용하는 장소였으니, 강만리는 모르고 정유는 아는 게 당연한 일이었다.

"그럼 용봉객잔을 말하는 걸까요?"

"글쎄. 그야 서문 근처에 가서 알아보면 되겠지."

두 사람은 서둘러 관제묘를 빠져나와 서문 방향으로 걸음을 옮겼다.

시대에 따라서 달라지지만 북경부는 대략 육십만 명에서 백만 명이 사는 대읍(大邑)이었다. 새벽 일찍 북경부 동쪽 끝자락에서 출발하면 한밤중에 서쪽 끝자락에 도착한다는 말이 있을 정도로 매우 크고 넓은 성시였다.

강만리와 장예추가 서문 근처에 당도했을 때는 벌써 해가 중천에 떠 있었다. 그들은 곧 거리 곳곳을 둘러보며 용봉객잔을 찾는 한편, 거리의 행인이나 점소이들에게 용봉객잔에 대해 물었다.

하지만 누구 하나 용봉객잔을 알지 못했다. 다들 고개를 갸웃거리며 생전 처음 들어 본다는 표정을 지었다.

그렇게 아무 소득 없이 길거리에서 시간만 때우던 그때였다. 초조한 얼굴로 엉덩이를 긁던 강만리가 문득 눈빛을 빛내며 제 이마를 탁 쳤다.

"그렇군!"

장예추가 황급히 그를 돌아보며 물었다.

"찾으셨습니까?"

"아니, 그게 아니라."

강만리는 퍼뜩 떠오른 생각에 대해서 장예추에게 이야기했다.

"그러니까 정유가 누구나 알기 쉽도록 자신들의 거처를 적어 놓진 않았을 거라는 거야. 뭔가 교묘하지만, 우리라면 충분히 알아차릴 수 있도록 꼬아서 적어 두었을 가능성이 크다는 게지."

"음, 그러네요. 혹시 모를 추격자들을 대비해서라도 확실히 용봉객잔이라고 대놓고 적지는 않았을 것 같습니다."

"그럼 그 용봉이 대체 뭘 가리키는 걸까?"

"글쎄요."

"용(龍)은 곧 뱀, 사(蛇)를 의미하고 봉(鳳)은 곧 새, 조(鳥)를 뜻하니 뱀과 새가 있는 곳을 찾아야 하는 것일지도……."

"꼭 뱀과 새가 아니라 사(蛇)라는 글자와 연관된, 가령 발음이 같다거나 혹은 획수가 같다거나 하는 쪽으로 생각하는 건 어떨까요?"

"음? 그럼……."

강만리는 저도 모르게 주위를 둘러보다가 어느 한 조그만 가게에 시선을 고정하며 중얼거렸다.

"사조방(佘彫房)?"

사조(佘彫)는 사조(蛇鳥)와 그 음이 같았으며, 사조방은 산의 돌을 깎고 다듬어서 조형물을 만드는 가게였다. 그 가게와 정유 일행과 무슨 연관이 있다는 걸까.

"알아봐야겠지."

강만리는 서둘러 사조방으로 들어섰다. 가게 안에는 손가락만 한 돌부처 상부터 사람보다 더 큰 관우상까지 수십, 수백 개의 조형물이 빼곡하게 들어서 있었다.

"어서 오십쇼. 찾으시는 물건이라도……."

점원이 부리나케 달려와 손을 비비며 말했다. 강만리는 잠시 망설이다가 헛기침을 하며 입을 열었다.

"물건이 아니라 사람을 찾소."

"네?"

점원이 눈이 휘둥그레졌다. 강만리는 여전히 난감한 기색을 감추지 못한 채 말을 이었다.

"으음, 그러니까 아주 잘생긴 귀공자요. 이름은 정유라

하는데……."

일순 점원이 눈을 반짝이며 되물었다.

"아! 손님이 성도부의 멧돼지, 강 대협이시군요! 역시
처음 보자마자 알 수 있었습니다."

'응? 성도부의 멧돼지? 처음 보자마자 알았다고?'

"닷새 전부터 기다리고 계셨습니다."

"나를 말이오?"

"네."

"어디에서?"

"그게 그러니까……."

돌을 캐고 다듬는 일은 이런 조그만 가게에서는 절대
할 수 없는 일이었다. 이 사조방은 만들어진 조형물을 손
님들에게 팔기 위한 공간이었고, 조형물을 만들고 전시
해 두는 곳은 따로 있었다.

강만리와 장예추가 북경부 북쪽 외곽 지역에 있는 사조
방의 채석장(採石場)을 찾은 건 그날 밤이 되어서였다.

황량할 정도로 드넓은 채석장 한쪽으로 수십 명의 일꾼
이 숙식할 수 있는 집들이 여러 채 지어져 있었다. 사조
방의 점원은 강만리와 장예추를 그중 한 집으로 안내했
다.

대문 앞에서 점원이 크게 소리쳤다.

"강 대협과 장 대협께서 도착하셨습니다!"

우당탕탕!

대문이 왈칵 열리며 대여섯 명의 사람들이 동시에 뛰쳐나왔다. 그중 한 명의 여인이 강만리의 품에 와락 뛰어들었고, 다른 한 여인은 한 치의 망설임도 없이 장예추의 품으로 뛰어들었다. 예예와 당혜혜였다.

강만리는 예예의 등을 쓰다듬으며 다정한 목소리로 말했다.

"늦어서 미안하네."

장예추도 당혜혜를 껴안고 말했다.

"보고 싶었소."

조금의 망설임이나 머뭇거림도 없는, 모든 미련과 후회와 아쉬움을 떨쳐 낸 목소리였다.

2. 타고난 본능

그로부터 한 시진 후, 다시 짐을 꾸려 객잔 별채를 나선 팔두마차가 사조방의 채석장에 도착하였다.

강만리가 사조방을 나서기 전에 사람을 시켜 그들에게 연락을 보낸 덕분에 생각보다 일찍 모든 이들이 다시 만나게 되었다.

그들은 한껏 웃고 떠들고 혹은 눈물을 흘리면서 저마다 재회의 기쁨을 누렸다.

근 한 달만의 재회였다. 해 줄 이야기는 태산이었고, 들을 이야기는 바다였다.

하지만 그보다 먼저 사람들은 상대의 안위부터 살폈다. 몇 번이고 서로의 얼굴을 보면서 변하지는 않았나 다치지는 않았나 확인했다.

짧은 시간이라고 하기에는 길었으며 긴 세월이라고 하기에는 너무나도 짧은 한 달, 하지만 그 한 달·만에 재회한 이들의 모습은 확실히 사뭇 달라져 있었다.

당혜혜는 한 달 만에 배가 불룩해져서 이제 누가 봐도 임신을 한 상태라는 걸 알 수 있었다. 그건 소화도 마찬가지였다. 비록 당혜혜만큼은 아니었지만 그녀 역시 볼록 솟은 배를 소중하게 안고 있었다.

그 한 달간의 여정으로 변한 건 어른들뿐만이 아니었다. 집을 떠나 여행을 해야 어른이 된다는 말이 있던가. 언제나 아기인 줄로만 알았던 담창도 어느새 의젓한 꼬마가 되어서 보보와 소군을 돌보고 있었다.

재회에 기뻐하던 화평장 식구들은 시간이 흐르면서 문득 한 사람의 모습이 보이지 않는다는 사실을 깨달았다.

또 늘 쉴 새 없이 수다를 떨며 호들갑을 피우던 설벽린이 한쪽 팔에 옷을 걸친 채 차분한 미소를 머금고 사람들을 지켜보는, 믿을 수 없는 광경도 보게 되었다.

"유 사부는요?"

예예가 물었다. 순간 떠들썩한 분위기가 삽시간에 가라앉았다.

"자리에들 앉자."

강만리의 침착한 목소리에 화평장 식구들은 불안한 표정을 감추지 못한 채 탁자에 모여 앉았다.

소화는 눈치 빠르게 아이들을 데리고 방으로 돌아갔다. 담호는 한쪽 구석에서 쭈뼛대고 있던 초목아에게 다가가 소곤거렸다.

"밖에 나갈래?"

안 그래도 계속해서 가시방석에 앉아 있던 것처럼 불편해 하던 초목아는 기다렸다는 듯이 고개를 끄덕이며 객청을 나섰다.

그녀의 뒤를 따라 객청을 빠져나가는 담호의 등 뒤로 강만리의 깊게 가라앉은 목소리가 들려왔다.

"어디서부터 이야기를 해야 하나?"

담호는 조심스레, 소리 나지 않게 객청 문을 닫았다.

한밤중이었다.

하지만 밖은 그리 어둡지 않았다. 구름 한 점 없는 가운데, 수천수만 개의 별빛이 쏟아질 듯 밤하늘 가득 메우고 있었다.

이렇게 맑은 밤하늘은 정말 오래간만이었고, 또 이렇게 많은 별빛도 정말 본 지 오래되었다.

　담호는 주위를 둘러보았다.

　채석장은 광활할 정도로 넓었다. 한쪽 구석에 지어진 대여섯 채의 집 중 불이 밝혀진 곳은 오직 화평장 식구가 머무는 집뿐이었다.

　문득 초목아가 보이지 않는다 싶어 사방을 두리번거리던 담호의 시야에 채석장 마당을 홀로 거니는 초목아의 뒷모습이 들어왔다. 왠지 쓸쓸하고 우울하며 외로워 보이는 뒷모습이었다.

　담호는 빠른 걸음으로 그녀에게 다가가 말을 건넸다.

　"졸리지 않아, 누나?"

　초목아는 어깨를 으쓱거리며 말했다.

　"졸리기는. 꼬마인 너는 졸리겠지만 어른들은 원래 늦게 자는 법이거든."

　"겨우 한 살 차이면서."

　"한 살이건 두 살이건 나는 너보다 누나고 어른이거든."

　"그래그래. 그나저나 힘들었지, 여기까지 오는데."

　"힘들기는. 꼬마인 너는 힘들겠지만 어른인 나는 전혀……."

　"아휴, 알았다니까. 그래, 누나는 어른이라니까."

　담호는 인상을 찡그리며 그녀의 말을 막았다. 초목아는 뾰로통하게 입술을 내밀다가 피식 미소를 지었다.

담호도 따라 웃었다. 초목아도 까르르 웃음을 터뜨렸다.

크게 웃을 일도 아니었다. 그리 웃기지도 않은 표정들이었다. 하지만 초목아와 담호는 뒹구는 낙엽에도 웃음을 참지 못한다는 그 시절의 꼬마들이었다.

그들은 몇 번이고 서로의 표정을 바라보면서 지칠 때까지 웃고 또 웃었다.

이윽고 겨우 한숨을 돌린 초목아가 문득 화평장 식구들의 집을 돌아보며 중얼거렸다.

"대가족이네."

담호는 웃음기가 사라지지 않은 표정으로 말했다.

"응. 확실히 사람들이 많아."

"그럼 귀찮은 일도 많겠네."

"응?"

"나는 사부와 단둘이만 살았으니까. 전혀 귀찮을 일이 없었거든. 하지만 사람이 많으면 싸우기도 하고 의견 충돌도 있고, 귀찮은 일도 많을 거 아냐? 역시 단둘이 사는 게 행복할 것 같아."

정말 그렇게 생각해? 절대 그렇지 않아.

담호는 그렇게 말하려고 했다.

하지만 초목아의 얼굴을 본 담호는 얼른 입을 다물었다. 불 밝혀진 집을 쳐다보고 있던 그녀의 표정은 그녀의 말과 전혀 다르게 느껴졌다.

담호는 언젠가 할머니들이 해 줬던 이야기를 떠올렸다.

─잘 기억해 두렴. 여인들은 가끔 본능적으로 거짓말을 한단다. 겉과 속이 전혀 다른 이야기를 하기도 하지.

이유는 가지각색이야. 자신의 속내를 드러내지 않기 위해서, 자신을 보호하기 위해서, 자신의 감정을 들키지 않기 위해서 등등 말이지.

그러니 어느 게 진심이고, 어느 게 거짓인지 잘 구별해야 한단다. 그게 여인들에게 사랑받는 방법이니까.

야래향이었을까.

아닐 것이다. 역시 담호에게 이런 이야기를 해 줄 할머니는 빙혼마고밖에 없을 테니까.

당시 담호는 어린 마음에도 뭔가 불합리하다고, 뭔가 모순적이라고 생각했었다. 그래서 담호는 순진무구한 표정을 지은 채 이렇게 할머니들에게 물었다.

"여자들은 사실대로 말하면 안 되는 건가요? 좋으면 좋다, 싫으면 싫다. 그렇게 말하는 게 어려운 건가요?"

"그렇지. 그게 옳은 거지. 모든 사람이, 모든 여인이 그리 말한다면야 얼마나 편하고 살아가기 쉽겠느냐만……."

빙혼마고가 한숨을 쉬며 말했다.

"여인들은 그게 본능적으로 잘 안 된단다. 원래 그렇게 태어났거든. 사내들이 돼도 않는 허세를 부리는 건 그렇게 타고났기 때문인 게고, 여인들이 눈에 뻔한 거짓말을 하는 것도 그렇게 타고난 거니까."

그 당시엔 어린 담호가 이해할 수 없는 이야기였지만 지금은 달랐다. 담호는 초목아의 표정과 눈빛을 보면서 왜 그녀가 지금 거짓말을 하는지 알 것 같았다.

담호는 잠시 생각하다가 화제를 돌렸다.

"얼른 초 할아버지가 깨어나셨으면 좋겠네. 장 숙모가 의술에도 일가견이 있으시니까 큰 도움이 될 거야."

담호의 말에 초목아의 표정이 어두워졌다. 그녀는 "하아." 하고 한숨을 쉬며 도리질했다.

"아니, 깨어나지 못하실 거야."

"왜? 아니라니까. 장 숙모가 얼마나……."

"네 그 장 숙모가 얼마나 대단한 분인지는 모르겠지만, 만해 할아버지나 구 아저씨보다 더 의술이 뛰어나다고 생각하니?"

"으응? 그건, 그러니까……."

"아니지? 이야기를 들어 보니까 만해 할아버지는 우리 사부보다도 더 뛰어난 의술을 지녔고, 구 아저씨는 외려 그 만해 할아버지를 능가하는 실력을 지녔다고 하는 것 같던데…… 그런데도 지금까지 사부를 깨어나게 하지 못했잖아? 저 극독에 중독된 화 아저씨도 완쾌시켰는데 말이야."

"그러니까 그건……."

"아마 이대로 영영 깨어나지 못하시다가 결국 돌아가실 거야. 그리고 나는 혼자가 되겠지. 가족도 사부도 없이 홀로 이 세상을 살아가게 될 거야."

"누나."

담호는 초목아의 우울한 표정에 뭐라 말을 해야 할지 갈피를 잡지 못했다.

"괜찮아, 누나는."

초목아는 애써 웃으며 말했다.

"사부를 만나기 전에도, 그러니까 지금보다 훨씬 어렸을 적에도 혼자서 잘 살아왔으니까. 지금은 훨씬 더 잘 살아갈 수 있을 거야. 너는 걱정하지 않아도 돼."

"하지만 누나……."

"참, 이제 이야기들 다 끝났겠지?"

문득 초목아가 밝은 목소리로 화제를 돌렸다. 담호는 몇 차례 입을 벙긋거리다가 희미한 한숨을 쉬며 고개를 끄덕였다.

"아마도 그럴 거야."

"들어갈까, 그럼? 역시 너와 단둘이 있으니까 영 어색하네. 쓸데없는 말도 막 하고."

담호가 눈살을 찌푸리며 말을 받았다.

"나는 하나도 어색하지 않은데. 오히려 나는 좋기만 한데?"

"뭐야, 그 말은?"

초목아의 뺨이 살짝 붉어졌고 눈빛이 상기되었다. 담호는 태평하게 말했다.

"말 그대로야. 나는 누나와 단둘이 있어도 하나도 안 어색해. 재미있고 즐겁고 좋기만 하거든."

"얘가 못하는 말이 없네. 됐어. 얼른 들어가자."

초목아는 기쁜 표정을 억지로 감추며 황급히 몸을 돌려 집으로 향했다. 담호는 고개를 갸웃거리며 그녀의 뒤를 따랐다.

소년, 소녀가 다시 문을 열고 들어갔을 때, 객청의 분위기는 푹 가라앉아 있었다.

이야기는 모두 끝난 듯 누구 하나 입을 열지 않았다. 눈물을 닦거나 아직도 코를 훌쩍이는 여인들도 있고, 괜한 헛기침을 하면서 술잔만 들이켜는 사내들도 있었다.

"저희는 그만 자러 갈게요."

담호가 눈치를 살피며 그렇게 말하자 예예가 얼른 눈시울을 훔치며 웃는 낯으로 말했다.

"그래, 피곤하겠다. 가만있자, 어디서 자야 하나? 아이들과 함께 자면 되려나? 내가 방으로 안내해 줄게."

예예가 자리에서 일어나자 나찰염요도 따라 일어나며 말했다.

"우리와 함께 자면 될 거야. 같이 가자."

"네, 언니."

예예와 나찰염요는 담호와 초목아에게로 다가갔다. 예예가 초목아의 손을 잡으며 말했다.

"초목아라고 했지? 참 귀엽고 예쁘게 생겼네."

초목아는 고개를 숙이며 말했다.

"감사합니다."

나찰염요도 미소를 지으며 초목아의 손을 잡았다.

"앞으로도 계속 우리 아호와 친하게 지내렴."

그렇게 말하던 나찰염요의 눈빛이 살짝 변했다.

'어라, 이 아이?'

그녀는 새삼스러운 표정을 지으며 초목아를 내려다보았다.

3. 입궁(入宮)

늦은 밤까지 제법 많은 술을 마셨지만 새벽에 눈을 떴을 때는 약간의 숙취도 남아 있지 않았다. 내공이 높고 깊어질 수록 술에 취하지 않게 되었다. 무림의 고수가 겪는 몇 되지 않는 단점 중의 하나였다.

강만리는 침상에 드러누운 채 천장을 보며 잠에서 깨기 위해 몇 차례 눈을 깜빡거렸다. 따스한 온기가 그의 옆구리에 찰싹 달라붙어서 부드럽게 피어오르고 있었다.

꽤 격한 밤이었다.

다른 부부도 다들 그러했겠지만 한 달 만에 만난 예예는 그 어느 때보다도 적극적으로 강만리의 품으로 파고들었다.

예예는 강만리의 약점을 잘 알고 있었다.

그녀는 입술과 혀와 손을 사용하여 강만리의 물건을 발딱 일으켜 세웠고, 그의 몸에 올라타서 맷돌을 돌리듯 요분질과 감창(甘唱)으로 그의 양기를 한껏 빨아들였다.

그 바람에 강만리는 서너 차례나 절정을 느끼면서 모든 양기를 쏟아부었고 기절하듯 골아떨어져야만 했다.

강만리는 어젯밤의 그 광풍 같은 기억을 떠올리며 옆에 누워 있는 예예의 얼굴을 바라보았다.

속속들이 강만리의 양기를 빨아먹었기 때문일까. 그녀의 얼굴은 뽀송뽀송했고 탄력이 넘쳤으며 매끄러웠다.

그렇게 잠시 예예를 바라보던 강만리는 두 손으로 푸석해진 자신의 얼굴을 벅벅 문질렀다. 그는 퀭한 얼굴을 한 채 자리에서 일어나 옷을 갈아입었다.

피곤이 어깨를 짓누르고 아랫도리가 후들거렸지만, 그래도 강만리가 새벽부터 일어난 데에는 그만한 이유가 있었다. 조자헌으로부터 황태자 주완룡이 편찮다는 말을 들은 까닭이었다.

'황실에는 고명하고 실력 좋은 어의(御醫)들이 수없이 많다. 그럼에도 태자 전하께서 쾌차하지 못했다는 것은……'

꽤 중병을 앓고 있는 건지도 몰랐다. 다름 아닌 황태자의 중병이라니, 뭔가 뒤끝이 좋지 않은 느낌이 들었다.

'대사형……'

자신을 두고 대사형이라 불러 달라며 유쾌하게 웃던 주완룡이었다.

자신의 수하가 되어 달라는 제의를 강만리가 거절했음에도 불구하고 주완룡은 전혀 마음에 두지 않았다. 언제나 그는 호탕했고 다정했으며 세심했다.

그런 주완룡이 중병에 걸린 것이다. 아무리 갈 길이 바쁘더라도 당연히 찾아뵙고 상황을 살피는 게 황태자에 대한, 그리고 강만리의 대사형에 대한 도리였다.

다행히 강만리에게는 만해거사와 구자육이 있었다. 그들이라면 저 황실의 어의와 비교해도 전혀 뒤떨어지지 않는 의술 실력을 지니고 있었다. 그래서 어젯밤 강만리는 그들에게 미리 말을 전해 두었다.

옷을 갈아입은 강만리가 조심스레 방을 가로질러 문을 열고 복도로 나갔다.

그때까지도 예예는 일어나지 않고 깊은 잠에 빠져 있었다. 역시 충만할 정도로 양기를 빨아들인 포식(飽食)의 단잠이리라.

강만리는 소리 나지 않게 문을 닫았다.

복도를 따라 객청으로 나오자 객청 탁자에는 이미 구자
육과 만해거사가 나와서 차를 마시고 있었다. 그리고 어
젯밤 그들과 함께 언질을 주었던 정유도 함께 차를 마시
던 참이었다.

강만리와는 달리 세 사람 모두 깨끗하고 멀쩡한 얼굴들
이었다.

'그렇지. 다들 혼자였지.'

강만리는 새삼스레 기혼자의 비애를 느끼며 입을 열었
다.

"바로 출발합시다."

돌을 캐는 소리도, 깎는 소리도 없었다. 심지어 일하러
나온 인부들의 모습도 보이지 않았다. 채석장 여기저기
크고 작은 바위들이 널려 있었고, 깎다 만 조형물들이 늘
비했지만 일하는 사람들의 기척은 전혀 느껴지지 않았다.

"늦게 시작하나 보지?"

강만리는 채석장 밖으로 걸어 나오며 그렇게 물었다.
정유가 고개를 갸웃거리며 되물었다.

"뭐가 말입니까?"

"이곳 채석장 일 말이야."

"아……"

정유가 빙긋 웃으며 말했다.

"여기는 우리 태극감찰밀의 안가와 같은 곳입니다. 채석장으로 위장한, 태극감찰밀의 손님들이 신분을 감추고 휴식을 취하는 곳이죠."

"호오. 태극천맹에도 안가 같은 곳이 있었군그래. 황계에만 있는 줄 알았더니."

"그런 게 없는 조직이 어디 있겠습니까? 아마 금적산도 수십, 수백 개의 안가를 가지고 있을 겁니다."

금적산이라는 말이 나오자 강만리는 가볍게 눈살을 찌푸리고는 손을 내저었다. 그 이름조차 언급하지 말라는 시늉이었다. 대신 강만리는 계속해서 채석장에 관해서 물었다.

"그럼 사조방도 역시 태극감찰밀과 관련되어 있는 곳인가?"

"비슷합니다. 우리가 고용하기는 했지만, 그들은 우리가 태극감찰밀 사람인지는 모르고 있죠."

"호오, 그건 또 황계와는 다르군."

황계는 안가 주변의 인물들 모두 황계의 조직원으로 이뤄져 있었다. 반면 태극천맹의 감찰밀은 자신들과 관련이 없는 자들을 고용하여 안가 주변에 배치해 두었다.

그 장단점을 따지자면 과연 어느 쪽의 방법이 더 나을까.

강만리는 생각하려다가 귀찮은 듯 고개를 저었다.

'지금 그런 사소한 것에 신경 쓸 계제가 아니다.'

채석장을 빠져나오자 광활하고 황량한 벌판이 이어졌다. 아마 북경부 근처까지는 쭉 이런 풍경이 이어질 것이다.

강만리는 곧바로 경공술을 펼쳤다. 다른 이들도 함께 몸을 날렸다.

"잠깐만요! 같이 가자고요!"

구자육이 뒤늦게 몸을 날리며 소리쳤다. 그가 쫓아가기에는 다른 세 사람의 속도가 너무나 빨랐던 까닭이었다.

"깜빡했군그래."

강만리는 경공술을 멈추고 잠시 기다렸다가 구자육이 다가오자마자 불쑥 그를 등에 업었다.

"아, 아니, 그렇다고 업을 것까지는……."

구자육이 얼굴을 붉히며 당황해 했지만 소용이 없었다. 강만리는 구자육 한 사람 정도의 무게는 깃털처럼 가볍다는 듯 더욱 빠른 속도로 북경부를 향해 질주했다.

* * *

자금성의 문을 지키고 있는 이들 중 강만리가 내민 증패를 알아보는 위사는 단 한 명도 없었다.

하지만 그 증패에 찍힌 직인만큼은 잘 알고 있었다. 그들은 감히 고개를 들고 똑바로 바라보지도 못한 채 말했다.

"내각의 사보 나리께 연락을 취하겠습니다."

"부탁하네."

강만리는 증패를 거둬들였다. 잔뜩 헝클어진 머릿결을 다듬던 구자육이 호기심 가득 찬 시선으로 그 증패를 바라보며 입을 열었다.

"뭡니까, 그건?"

강만리는 가볍게 어깨를 으쓱거리며 말했다.

"황제 폐하께서 내린 증패라네."

구자육의 눈이 휘둥그레졌다.

"황제 폐하께서요? 왜요?"

"나중에 설명함세."

강만리가 조금은 거들먹거리는 표정을 지으며 말하자 곁에 있던 정유가 피식 웃으며 끼어들었다.

"별걸 다 가지고 유세를 떠십니다. 별것 아닙니다. 예전에 이 멧돼지처럼 생긴 사람이 황궁에서 일어난 연쇄 살인사건을 해결해서, 그 공로로 황제 폐하가 무림포두라는 증패를 하사한 겁니다. 다시 말하자면 무림에서 일어나는 모든 사건들을 해결하라는 임무를 내린 거죠."

"오호, 무림포두라니……."

"아, 그러고 보니!"

정유가 감탄하여 입을 여는 순간 강만리가 먼저 정유를
향해 쏘아붙이듯 말했다.

"자꾸 멧돼지 운운할 거야?"

"그게 가장 간편하고 단순하고 확실하게 형님을 설명
할 수 있는 유일한 방법인데요. 안 그렇습니까, 구 당
주?"

"아, 그게 그러니까……."

구자욱이 난처한 표정을 지으며 쩔쩔맬 때였다. 위사
한 명과 관복을 입은 자들이 성문 쪽에서 걸어왔다. 구자
욱은 황급히 그들을 보며 말을 돌렸다.

"이제 오신 것 같습니다."

관복을 입은 자들은 내각의 신하들이었다. 그들은 강만
리 일행을 보고 가볍게 허리를 숙이며 말했다.

"사보께서 기다리십니다. 어서 안으로 드시죠."

"그럽시다."

강만리는 더 이상 말장난을 하지 않은 채 근엄한 표정
을 지으며 신하들의 안내를 받아 입궁했다. 그 뒤로 정유
와 만해거사, 구자욱이 뒤를 따랐다.

'그러니까 몇 년 만이더라?'

강만리는 감회가 새로운 눈빛으로 자금성 경내를 둘러
보면서 걸음을 옮겼다.

"뭐야?"

날카로운 목소리가 싸늘하게 울려 퍼졌다.

"강만리, 그 자식이 다시 궁을 찾아왔다고?"

"그렇습니다. 마마(媽媽)."

"잘되었다. 이참에 놈의 목을 베어 건(健)의 원한을 풀어 주리라. 당장 제독태감(提督太監)을 불러라."

"네, 마마."

자금성 구중심처(九重深處) 깊은 곳, 주렴을 두고 한 여인과 오체복지(五體伏地)한 대신의 대화는 그렇게 끝났다.

(무림오적 41권에서 계속)

최달해 판타지 장편소설

회귀한 도끼천재가 살아가는 법

「위대한 가문의 대마법사」의 작가 최달해
그가 선사하는 통쾌한 신작!

'도살자'라 불리며 대륙 모든 이들이
두려워하는 존재, 데인 크라젤
그는 억울한 누명을 쓰고 죽음을 맞이하는데……

"이번에야말로 내 손으로 죽일 수 있겠구만."

하고 싶으면 한다!
누구도 막을 수 없는
미친 도살자가 돌아왔다!

계속되는 구조 조정과 정리 해고

"미안하게 됐어. 너무 섭섭하게 생각하지 마, 은호 씨."

회사에서 통보를 받은 순간
하늘이 무너져 내린 듯한 굉음과 함께
세상이 변했다

[본 지구의 매각이 결정되었습니다.]
[이에 인력 구조 조정이 진행됩니다.]

목숨을 건 구조 조정
공략하면 특별한 힘을 얻을 수 있는 미션들
기적 같은 장난이라면, 이 장난에 최선을 다하리라!

"찾았습니다. 다 같이 살 수 있는 방법."

구조 조정자의 초고속 승진이 지금 시작된다!

선주우 현대 판타지 장편소설

구조 조정에서
살아남는 법

'First in last out.'
가장 먼저 들어가서 가장 마지막에 나온다.

『강철 소방대』

꿈꿔 왔던 소방관으로서 첫날
오랫동안 간직하던
아버지의 장갑에서 목소리가 들려온다!

[사람 안 구할 거냐?]

가장 위험한 곳에서 누구보다 앞서
사람을 구하기 위해!
거친 화마도, 떨어지는 진해도 막을 수 없다!

강철 소방관, 이성하는 오늘도 구조한다!

쿤빠 현대 판타지 장편소설

강철
FIRE
BRIGADE
소방대